Foerst, Johannes

Geschichte der Entdeckung Groenlands von den aeltesten Zeiten

Foerst, Johannes

Geschichte der Entdeckung Groenlands von den aeltesten Zeiten

Inktank publishing, 2018

www.inktank-publishing.com

ISBN/EAN: 9783750143999

Geschichte der Entdeckung Grönlands
von den ältesten Zeiten bis zum Anfang des 19. Jahrhunderts.

Inaugural = Dissertation

zur

Erlangung der Doktorwürde

der

hohen philosophischen Fakultät

der

Friedrich-Alexanders-Universität Erlangen

vorgelegt

von

Johannes Först

aus Roxheim.

Tag der mündlichen Prüfung: 25. Juli 1905.

—— • ——

Worms a. Rh.
Buchdruckerei „Wormser Nachrichten" G. m. b. H.
1905.

Einleitung.

A. E. v. Nordenskiöld[1]) nennt Grönland das interessanteste aller Polarländer. Von dieser Insel aus wurde 500 Jahre vor Kolumbus das Festland von Amerika entdeckt; Grönland ist das Land der großartigsten Eisberge; in Grönland reicht eine Eiszeit noch in die Gegenwart herein; Grönland ist das Land des Eskimo.

Interessant und einzig dastehend ist auch die Geschichte der Entdeckung Grönlands. Vor mehr als 900 Jahren wurde Grönland von den Nordgermanen entdeckt und besiedelt. Die normannische Kolonie entfaltete sich zu ziemlich hoher Blüte. Mit Island und Norwegen trieben die normannischen Grönländer einen blühenden Handel; das Christentum wurde eingeführt, Kirchen und Klöster wurden errichtet; über Grönland als einen besonderen kirchlichen Sprengel wurde ein Bischof gesetzt. Aber gegen den Ausgang des Mittelalters entschwand Grönland aus den Augen der Europäer, so daß man nach der Entdeckung Amerikas durch den großen Genuesen Expeditionen aussenden mußte, um den Weg nach dem ehemals bekannten Lande wieder aufzusuchen. Grönland wurde zweimal entdeckt.

Die Geschichte der Entdeckung Grönlands bis zum Anfang des 19. Jahrhunderts soll im folgenden dargestellt werden.

Der Stoff zerfällt ganz natürlich in zwei Teile: 1. Die Entdeckung Grönlands durch die Normannen, 2. Grönlands Wiederentdeckung.

---

1) A. E. v. Nordenskiöld, Grönland, seine Eiswüsten im Innern und seine Ostküste. Leipzig 1886, Vorwort.

I. Die Entdeckung Grönlands durch die Normannen.

1) Vorgeschichte.

Pytheas von Marseille war der erste Polarfahrer; 58 oder 59 Grad scheint er erreicht und manches über den hohen Norden erfahren zu haben. Man mag über die Lage der äußersten ihm bekannten Insel, Thule, streiten[1]), jedenfalls geht aus dem, was die Briten dem Pytheas berichtet haben, hervor, daß diese mit dem Meer bis in ziemlich hohe Breiten vertraut waren. Man wußte von einem gefrorenen Meere, wo weder zu Fuß noch zu Schiffe weiterzukommen sei. Sollten vielleicht die keltischen Seefahrer schon über Island hinaus bis zum Treibeis an der Ostküste Grönlands gekommen sein? Berger[2]) wenigstens nimmt an, daß schon vor dem Eintritt unserer historischen Kenntnis uralte Wege von Britannien nach Westen und Nordwesten zeigten.

Daß man von Island schon vor der normannischen Einwanderung Kenntnis hatte, berichtet der Irländer Dicuil im 9. Jahrhundert; er erzählt 825 in seinem Werke „De mensura orbis terrae", daß seine Landsleute, irische Priester, auf dem fernen Thule (Island) Prozessionen abhielten. Auch die Landnámabók[3]) weiß, daß die Normannen in Island mit Iren (Westmännern) zusammenkamen. Ares

---

1) Vgl. Nordenskiöld, Periplus, Stockholm 1897, p. 8; Nordenskiöld sucht Thule an der Küste Norwegens; Thoroddsen, Geschichte der isländischen Geographie, deutsch von A. Gebhardt, Leipzig 1897 stellt p. 11 die Versuche, das Thule des Pytheas mit einer jetzt bekannten Insel zu identifizieren, zusammen; er glaubt, daß man hierin niemals zu einem Resultat kommen werde; jedenfalls sei Thule nicht Island.

2) Berger, Entstehung der Lehre von den Polarzonen. (Geographische Zeitschrift 1897 p. 88 ff.)

3) Landnámabók (F. Jónsson, Köbenhavn 1900) p. 7 f. und 182 f.

Isländerbuch[1]) berichtet, daß die norwegischen Ansiedler irische Priester („Papar") auf Island vorfanden. Als später Island in den Kreis der bekannten Länder kam, wurden ähnliche Erzählungen von weißgekleideten Männern, die bei Umgängen Fahnen herumtragen, auf fabelhafte Länder im Westen verlegt, und so mag die Sage von dem „hvitra manna land" oder „Großirland" entstanden sein[2]).

Nach Grönland dagegen sind die Briten wohl nie gekommen; denn hier fanden die Normannen keinerlei Spuren, die auf Europäer sich beziehen ließen; zudem verhinderte wohl die Eisbarriere im Osten und Süden Grönlands jede zufällige Berührung.

Die Besiedelung Islands durch die Normannen war die Voraussetzung für die normannische Entdeckung Grönlands. Entdeckt wurde Island von den Normannen in der zweiten Hälfte des 9. Jahrhunderts. Ueber den ersten Normannen, der Island gesehen haben soll, gehen die zwei erhaltenen Handschriften der Landnámabók, wovon noch zu reden sein wird, auseinander; nach der Sturlubók[3]) wurde Island von Naddodr entdeckt, Snaeland (Schneeland) geheißen und darnach von Gardar umsegelt und Gardarsholm genannt; die Hauksbók[4]) dagegen berichtet, daß Island zuerst von Gardar entdeckt und Gardarsholm genannt, später von Naddodr gesehen und Snaeland geheißen worden sei.[5]) Floki brachte einen ganzen Winter dort zu und nannte es „Eisland"(=Island)[6]). Um 875 soll Ingulfr, der erste Landnahmsmann, die ersten Ansiedler dahin geführt haben.[7]). Innerhalb des Zeitraumes 870 bis 930 wurde Island von Norwegen her besiedelt. Als nämlich Harald hárfagri (der Haarschöne), der ursprünglich

---

1) Ares Isländerbuch (Golther) Halle 1892 p. 4/5 (1. Kap.).
2) Hierher ward nach der Sage Ari, der Sohn des Mar, verschlagen (vgl. Landnámabók, herausgegeben v. Jónsson 1900 p. 41. und 165); die in Markland (s. u.) gefangenen Kinder erzählen, daß dieses Land in der Nähe Vinlands liege (vgl. Eiriks saga rauda, herausgegeben v. Storm, Kopenhagen 1891 p. 46; s. auch Storm, Studier over Vinlandsreiserne in Aarböger for nordisk Oldkyndighed og Historie 1887 II. R. p. 355).
3) Landnámabók (Jónsson) p. 130 c. 3. u. 4.
4) Landnámabók (Jónsson) p. 4 c. 3 u. 4.
5) Vgl. Thoroddsen (Gebhardt), Geschichte der isländischen Geographie p. 19—22.
6) Landnámabók p. 131.
7) Landnámabók p. 132.

einer der vielen Kleinkönige war, sich ganz Norwegen un'er
tan gemacht hatte, verließen gerade die hervorragendsten der
freiheitsliebenden und starrsinnigen norwegischen Bauern das
Heimatland und suchten auf dem kurz vorher entdeckten Island neue Wohnsitze.

Isländische Normannen waren es, die im Atlantischen
Ozean noch weiter westwärts drangen, die Grönland entdeckten und besiedelten.

2) Die ältesten Berichte. [1]

Den ältesten Bericht über Grönland verdanken wir dem
Deutschen Adam von Bremen. Dieser hielt sich einige Zeit
in Dänemark am Hofe des Königs Sven auf und erhielt
hier auch Nachrichten über Grönland. Isländische Skalden
und wohl auch normannische Kaufleute mögen die Kunde
von Grönland nach Dänemark getragen haben. In der um
1070 entstandenen Hamburger Kirchengeschichte Adams um-
faßt das vierte Buch die „Descriptio insularum aquilonis."
Ueber Grönland wird hier erzählt: es liege noch weiter im
Weltmeer als Island, den Bergen Schwedens gegenüber,
und es sei nicht die kleinste von den dort gelegenen Inseln.
Wie nach Island, so fahre man auch dorthin in fünf oder
sieben Tagen. Die Menschen seien dort infolge des Meer-
wassers blaugrün (?) — daher habe auch das Land seinen
Namen (?) — und führten ein ähnliches Leben wie die
Isländer, nur seien sie grausamer und den Schiffen durch
Seeräuberei gefährlich. Auch zu ihnen sei vor kurzem das
Christentum gedrungen[2].

1) Die Quellen, die sich auf die Geschichte Grönlands im
Mittelalter beziehen, sind herausgegeben 1838 (I. und II. Bd.) und
1845 (III. Bd.) als „Grönlands historiske Mindesmaerker" (= G h M)
Kopenhagen (F. Magnusen, C. C. Rafe u. a.). — Ferner wurden
benützt: Maurer, Grönland im Mittelalter (Zweite deutsche Nord-
polerpedition unter Koldewey 1869/70, Leipzig 1874 p. 262—218);
Mogk, die Entdeckung Amerikas durch die Nordgermanen (Mitteilungen des Vereins für Erdkunde zu Leipzig) 1892; Fischer, die
Entdeckungen der Normannen in Amerika, Freiburg 1902. Die
Abhandlung Jónssons über die Geschichte der grönländischen
normannischen Kolonie in „Nordisk Tidskrift för vetenskab, konst
och industri 1893" konnte ich nicht erhalten.
2) Adami, gesta Hammaburgensis ecclesiae pontificum,
Lappenberg-Waitz, Hannover 1876 IV. cap. 36 p. 185. Vgl. über
Adam v. Bremen: Günther, A. v. B, der erste deutsche Geograph
im Sitzungsbericht der Kgl. Böhm. Gesellschaft der Wissenschaften,
Klasse für Philosophie, Geschichte und Philologie 1894 (hier sind
auch die Literaturangaben über Adam v. Br. zu finden). — Storm,
Studier over Vinlandsreiserne. — G h M III p. 404.

Der etwas verworrene Bericht unseres deutschen Landsmannes ist besonders deshalb wertvoll, weil er unabhängig ist von den isländischen Quellen.

Die älteste isländische Nachricht über Grönland stammt von Ari frothe (Are der Weise, der Kundige). In seiner zwischen 1134 und 1138 entstandenen Islendingabók[1]) teilt er über Grönland das Wesentlichste klar mit: „Das Land, welches Grönland genannt wird, wurde von Island aus entdeckt. Erik der Rote hieß der Mann aus dem Breitthifjord, der von hier (von Island) dahinzog und dort das Land nahm, welches später Eriksfjord genannt wurde. Er gab dem Lande einen Namen und nannte es Grönland; er glaubte, daß die Leute eher Lust bekämen dahin zu ziehen, wenn das Land einen guten Namen habe. Sie fanden im Osten und Westen des Landes menschliche Wohnstätten, sowie Stücke von Booten und Steinschmiedesachen (steinsmithe); daraus kann man ersehen, daß hier Leute derselben Art herumgezogen waren, wie jene, welche Vinland bewohnten und welche die (sc. normannischen) Grönländer Skraelingar nennen. Er begann das Land zu besiedeln. 14 oder 15 Winter, bevor das Christentum nach Island kam, nach dem, was dem Thorkell Gellisson in Grönland ein Mann erzählte, der selbst Erik dem Roten folgte[2]).

Are[3]) lebte 1068—1148. Die Nachrichten hat er, wie er selbst angibt, von seinem Oheim Thorkell Gellisson überkommen, der von einem „Landnahmsmanne" Grönlands unterrichtet war. Wir erhalten dadurch die Angaben gleichsam aus erster Hand.

Die Zeit der Besiedelung kann ziemlich genau bestimmt werden; denn cap. 7[4]) gibt Are die Zeit der Einführung des Christentums auf Island an (1000). Die Besiedelung Grönlands fällt also in das Jahr 986 oder 985.[5]).

---

1) Ares Isländerbuch, herausgegeb. v. W. Golther, Halle 1892 p. XI.
2) Ares Isländerbuch (Golther) p. 11 c. 6; vgl. G h M. I 168 f.
3) Ueber Ares Leben: Golthers Ausgabe p. VII—IX und Werlauff, De Ario multiscio, Hafniae 1808.
4) Ares Isländerbuch (Golther) p. 15: „that vas . . . . . M (sc. vetra) eptir burth Cristz" (Das war 1000 Winter nach der Geburt Christi).
5) Nach Finnur Jónsson (Grönlands gamle Topografi efter Kilderne 1808 in Meddelelser om Grönland XX, Kjöbenhavn 1899, p. 268 wäre 985 zutreffender als 986. Auch die Landnámabók gibt einmal 15 (Sturlubók p. 156) und einmal (Hauksbók p. 35) sogar 16 Winter an.

Der Eriksfjord, den der Entdecker des Landes für sich in Besitz nahm, ist wohl der Tunugdliarfikfjord an der Südwestküste Grönlands in der Nähe der dänischen Handelskolonie Julianehaab.[1]).

Die ersten Ansiedler trafen in Grönland nur Spuren von Menschen. Jedenfalls waren vereinzelt Eskimofamilien schon bis hierher vorgedrungen. Als später die Normannen auf dem amerikanischen Festlande mit Völkern zusammentrafen, die kleiner als sie waren, nannten sie diese „Skraelingar". Diesen Namen gab man auch den ursprünglichen Bewohnern Grönlands, da nach den gefundenen Gegenständen diese auf der gleichen Kulturstufe standen wie die amerikanischen Völker.

3) Der Bericht der Landnámabók.

Die wenigen Angaben in Are Frodes Isländerbuch werden erweitert in dem Buche von der Besitzergreifung Islands (Landnámabók)[2]. Nach einem Bericht über den Vater Eriks des Roten, der wegen eines Totschlags in Norwegen, südlich von Stavanger, nach Island auswanderte, und über die Streitigkeiten, in welche sich Erik der Rote im Haukadal[3] auf Island verwickelte — er wurde schließlich vom Thorneszthing für friedlos erklärt —, erzählt die Landnámabók[4]), daß Erik der Rote sich einer

---

1) Vgl. Rafns Udsigt over Grönlands gamle Geografi in G h M III 864 und Finnur Jónsson, Grönlands gamle Topografi (Medd. XX) p. 292.

2) Die Landnámabók ist wohl ca. 1200 aus schriftlichen und mündlichen Nachrichten gesammelt worden und lag in der ursprünglichen Fassung ca. 1220 vor. Es existieren zwei Handschriften: Die jüngere, Hauksbók, ist von Hauk Erlendsson († 1334) nach zwei Vorlagen ca. 1325 geschrieben. Von diesen zwei Vorlagen ist die Sturlubók, verfaßt von Sturla Thordarson († 1284), erhalten — die ältere auf uns gekommene Handschrift —, während die andere Vorlage Hauks, das Buch Styrmer Frodes († 1245), verloren ist. Hauk bestätigt, daß die Berichte Styrmers und Sturlas in allem Wesentlichen übereinstimmen. Es ist daher wohl anzunehmen, daß beide auf die Fassung von ca. 1220 zurückgingen. Vgl. Landnámabók, herausgegeben v. F. Jónsson, Köbenhavn, 1900, p. XLVI und Meddelelser om Grönland XX p. 269.

3) Haukadal liegt in der südöstlichen Bucht des Breidifjords auf der Westküste Islands; daher wird Erik in Ares Isländerbuch „breithitjorther" genannt.

4) Text der Landnámabók s. G h M I 172—182; Jónssons Ausgabe (1900) p. 34—35 (Hauksbók) und p. 155—156 (Sturlubók).

alten Erzählung erinnerte, wonach einst Gunnbjörn westlich Island ein Land entdeckte, das man „Gunnbjörnschären"[1]) nannte. Erik segelte nach Westen und fand Land (981 n. Chr.); er kam zum Midjökel, der auch Blaaserk[2]) hieß; von da nahm Erik einen südlichen Kurs, um zu sehen, ob es möglich sei, bewohnbares Land zu finden[3]). Den ersten Winter brachte Erik auf der Eriksinsel[4]) nördlich; er an den Eriksfjord und suchte sich hier den Ort seiner der Ostansiedelung zu. Im nächsten Frühjahr (982) kam

----

1) Das von Gunnbjörn entdeckte Land ist wohl nichts anderes gewesen als die inselreiche Ostküste Grönlands, vermutlich zwischen 65½° und 66°. Denn Erik stieß bei der Ueberfahrt zwischen Island und Grönland nicht auf Inseln. Zudem hielten Erik und die Sammler der Landnámabók allem Anschein nach die Gunnbjörnschären und das von Erik gefundene Land für ein und dasselbe. Es ist bezeichnend, daß die Gunnbjörnschären eine Rolle spielten, bevor „Grönland" entdeckt war, und wieder auftauchten, als man die Fühlung mit Grönland verloren hatte. — Nordenskiöld (Grönland p. 46) identifiziert die Gunnbjörnschären mit der Insel, die auf der Runsch-Karte vom J. 1507 zwischen Island und Grönland eingezeichnet ist und die 1456 nach Runsch's Angabe untergegangen sein soll, und Mogk schließt sich ihm an. Allein die Runschinsel kann nicht gut anders denn als kurzlebige Schöpfung vulkanischer Kräfte erklärt werden, die im 15. Jahrhundert entstand und unterging. Die von Nordenskiöld angeführten vulkanischen Aufschüttungen sprechen eher gegen als für seine Ansicht. Eine massive, schon im 10. Jhdt. existierende Insel wäre jedenfalls unter der Krakatau-Explosion ähnlichen Erscheinungen vernichtet worden, und ein so merkwürdiges Ereignis des Jahres 1456 wäre dann auch in anderen Quellen aufgezeichnet worden. — Thoroddsen (Geschichte der isländischen Geographie, übersetzt v. Gebhardt p. 90) hält die Insel auf der Runsch-Karte für jene, welche 1422 südwestlich Reykjanes entstanden war, und später wieder verschwand.

2) Beides sind Namen für denselben Berg, der zwischen zwei einzel stehenden Bergen lag und eine dunkle Farbe hatte; beide Namen können von Erik stammen. Allerdings entstand der Name Blaaserk erst nach Auffindung eines Haidsaerk. Die Namen allein bilden keinen Grund, den Bericht der Landnámabók hier für unsicher zu halten, wie Mogk annimmt.

3) Erik segelte also bis zum Kap Farewell (Farvel) und von hier in westlicher Richtung; Hauksbók bemerkt ausdrücklich: „hann sigldi vestre um Hvarf (wohl die Südspitze von Sermersok)." Landnámabók (Jónsson p. 34).

4) Es werden in der Landnámabók zwei verschiedene Eriksinseln unterschieden: eine „Eriksinsel nördlich der Ostansiedelung" (Hbk. p. 39: „Eiriksey naer Eystri bygd, Stbk. p. 155: Eiriksey naer midri eni vestri bygd, die also jedenfalls nördlich der Ostansiedelung zu suchen ist), und eine „Eriksinsel vor der Mündung des Eriksfjords" (Hbk. p. 36 „fyri Eirikstjardar minni", Stbk. p. 155 „fyrir myni Eirikstjardar"); die letztere ist wohl das Inselchen Igdlotalik (G h M III 865, Medd XX 293), während die erste Eriksinsel nicht bestimmt werden kann.

späteren Wohnstätte aus; im Sommer besuchte er die westlichen unbewohnten Gegenden und gab vielen Orten Namen. Den zweiten Winter verbrachte Erik auf den Inseln bei Hvarfsgnipa, die er Eriksholme[1]) nannte. Im drit.en Sommer (983) zog er wieder nach Norden zu dem „Schneeberg" und hinein in den Hrafnsfjord[2]). Hierauf segelte er zur Eriksinsel vor der Mündung des Eriksfjords[3]), wo er sich dann im Winter aufhielt. 984 fuhr der kühne Entdecker nach Island zurück und erzählte hier während des folgenden Winters seinen Freunden von dem „grünen Land", das er im Westen angetroffen habe. Im Sommer des Jahres 985[4]) verließ eine ganze Kolonisationsflotte die Insel Island. 25 Schiffe, beladen mit Weib und Kind, mit Vieh und Geräten, verließen 985 Island; in dem neuentdeckten Land wollte man sein Glück versuchen. Aber nur 14 Fahrzeuge kamen glücklich dort an; die übrigen elf versanken oder kehrten an Islands Küste zurück.[5])

---

1) Vielleicht = die Inseln südlich Nennortalik (Rafn, G h M. III 854 und Jónsson, Medd. XX); Die Karte Jónssons ist auch Fischers „Entdeckungen" beigegeben.
2) = Unartokfjord nördlich Sermersok: Ivar Baardsön (s. Seite 12, Anm. 3) berichtet von warmen Quellen im Hrafnsfjord (G h M III 255); diese Angabe ist wichtig für die Bestimmung der in den alten Quellen angegebenen Fjörde (G h M III 854 und Mdd. XX 287); denn man hat nur auf der im Unartokfjord gelegenen Insel Unartok warme Quellen entdeckt. Im Zenierbericht ist diese Erscheinung ins Wunderbare übertrieben.
3) s. Anm. 4 auf der vorhergehenden Seite.
4) Mogk, Entdeckung Amerikas 1892 p. 67 gibt an, der Menschenzug habe 990 stattgefunden. Diese Annahme ist sicher irrtümlich. Im Isländerbuch Ares (cap. 6) wird gesagt: „En that vas, es hann toc byggva landet, 14 vetrum etha 15 fyrir an cristne quæme hér á Island". Vergleicht man diese Stelle mit der Angabe der Landnámabók: „that (5.) sumar for Eireko at bygia land", so kann das Jahr 985 nur als das Jahr der Besiedelung angesehen werden, während 981 das Jahr der Entdeckung Grönlands durch Erik ist.
5) Fischer, Entdeckungen p. 81 Anm. gibt an, daß 35 Schiffe nach Grönland abführen; allein diese Zahl ist nur überliefert in dem unzuverlässigen Graenlendingatháttr (Storms Ausgabe der Saga Eriks des Roten p. 52), während die Saga Olafs Tryggvavasonar, die Saga Eiriks rauda und die Landnámabók 25 Schiffe bezeugen.

4) Oftanfiedelung und Weftanfiedelung. [1]

(Eystribygd und Vestribygd.)

Schon in Ares Isländerbuch wird eine östliche und westliche Ansiedelung angedeutet ("their sundo par manna vister baethe austre oc vestr á lande"); in der Landnámabók wird die eine Eriksinsel durch ihre Lage zur östlichen und westlichen Ansiedelung bestimmt. Und so wird fast in allen isländischen Quellen eine westliche Ansiedelung von einer östlichen unterschieden. Ueber diese beiden Ansiedelungen konnte man sich lange nicht einigen.

Wenn man die Karte Grönlands betrachtet, ist man geneigt, die östliche Ansiedelung auf der Ostküste und die westliche auf der Westküste Grönlands zu suchen. Allein dieser Annahme steht entgegen, daß man wegen des Treibeises, das an der Ostküste Grönlands durch einen Polarstrom südwärts und um das Kap Farewell (Farvel), die Südspitze Grönlands, west- und westnordwestwärts geführt wird, nur in äußerst günstigen Fällen an der Island gegenüberliegenden Ostküste landen kann[2]. In neuerer Zeit gelang dies Nordenskiöld 1883 und 1891/1892 der dänischen Ostgrönlanderpedition.[3] Und doch sollte gerade die östliche Ansiedelung die hauptsächlichste Niederlassung der Normannen gebildet und mit Island und Norwegen in regem Verkehr gestanden haben. Daß das Klima und die Eisverhältnisse sich seit der normannischen Besiedelung Grönlands geändert hätten, wie Nordenskiöld meint, ist eine Annahme, die nicht nur unwahrscheinlich ist, sondern auch durch den glaubwürdigen Bericht des Königsspiegels (s. u.) widerlegt wird.[4]

---

1) Sieh Steenstrup, Om Österbygden in Meddelelser om Grönland IX, dessen Abhandlung hier zugrunde liegt.

2) Nordenskiöld, Grönland ꝛc. p. 363 gibt eine Ueberficht der vergeblichen Verfuche, die Ostküste Grönlands zur See zu erreichen.

3) Meddelelser om Grönland XVII, XVIII und XIX, 1895/96 Kopenhagen.

4) H. Weber, die Entwickelung der phyfikalischen Geographie der Nordpolarländer bis auf Cooks Zeiten. Münchener geographische Studien, 4. Stück, 1898 p. 13: "Vor allem schildert der Königsspiegel Ostgrönland als bedeckt mit Eis, sodaß wir getroft behaupten dürfen, daß fein Ausfehen damals dem heutigen glich, und daß eine Aenderung des Klimas nicht eintrat."

Die Nordgermanen hielten die Kenntnis von der Lage der Oesterbygd wohl für so selbstverständlich, daß in den alten isländischen Quellen nirgends ausdrücklich erklärt wird, die Oesterbygd sei nicht auf der Ostseite des Landes zu suchen. Als aber am Ausgange des Mittelalters Grönland immer mehr aus dem Gesichtskreise Europas geschwunden war, so daß man keine Fühlung mehr mit der ehemaligen normannischen Kolonie hatte, da wurde die Lage der Oesterbygd zu einer Frage, die erst in den letzten Jahren gelöst werden sollte.

Ursprünglich zeichnete man auch die östliche Ansiedelung auf der Südwestküste Grönlands ein. Auf der Karte des Sigurd Stephanius (1570 oder 1590) [1]) sind westlich Herjolfsnaes (Südspitze) zwei Buchten angegeben, die Ref.ns Karte (1606) als Eriksfjord (Oesterbygd) und Vesterbygd bezeichnet. [2]) Ebenso verlegt Gudbrand Thorlacius (1606) die Oesterbygd auf die Südwestküste Grönlands. Karsten Richardsen wurde am 6. Mai 1607 instruiert, „der Eriksfjord liege auf der südwestlichen Küste Grönlands zwischen 60 und 61 Grad ungefähr, doch gegen die Ostseite hin".

Man hatte aber geglaubt, die alte normannische Kolonie noch in ihrer Blüte zu finden, und war sehr enttäuscht, als man bei den dänischen Expeditionen der Jahre 1605 bis 1607 unter Hall, Cunningham, Lindenow und Richardsen nur auf Eskimo stieß. Jetzt glaubte man annehmen zu müssen, jenes von den Normannen besiedelte Land, die Oesterbygd mit dem ehmaligen Sitze Eriks (Brattalid) und der bischöflichen Kathedrale von Gardar sei auf der Ostseite zu suchen. Diese Ansicht wurde gestützt durch eine falsche Auslegung der Kursvorschriften [3]).

---

1) Storm, Studier over Vinlandsreiserne.

2) Die hier angeführten Karten sind wiedergegeben in Medd. IX ; die des Sigurd Stephanius auch in Storms Vinlandsreiserne und Fischers Entdeckungen.

3) Die Kursvorschriften sind gesammelt in G h M III 209 ff. Besonders schien die Kursvorschrift Ivar Baardsöns diese Auslegung zu verlangen. Ivar Baardsön war Mitte des 14. Jahrhunderts Verwalter des bischöflichen Stuhles in Gardar — am 8. August 1341 stellte ihm Bischof Hakon von Bergen einen Paß nach Grönland aus (G h M III 888 und Diplomat. Norweg. V p. 122). Von dort wieder zurückgekommen, diktierte Ivar in Norwegen einem unbekannten Norweger seinen Bericht über Grönland in die Feder. davon ist eine dänische Uebersetzung erhalten (G h M III 250 ff;

Von nun an suchte man die Ostküste Grönlands anzulaufen. Die Expeditionen Danells (1652—54), die zur Wiederentdeckung der alten Ostansiedelung führen sollten, richteten nichts aus; man konnte Ostgrönland nicht erreichen.

Die Verwirrung, die durch die falsche Auslegung der Kursvorschriften geschaffen war, wurde jetzt noch vergrößert durch die Verlegung der Frobisherstraße von der Westseite der Davisstraße an die Südspitze von Grönland. Dadurch hatte man an der Südküste Grönlands keinen Platz mehr zum Einzeichnen der Osterbygd, und so trat zu dem ersten Irrtum ein zweiter: auch auf den Karten verlegte man jetzt die Oesterbygd auf die Ostküste Grönlands; zum erstenmal geschah dies auf der Karte des Theodor Thorlactus 1668 oder 1669[1]).

Da man bei den Expeditionen Danells die Unmöglichkeit eingesehen hatte, zu Schiff die Ostküste Grönlands anzusegeln, wurden Versuche angestellt, von der Westküste her um das Kap Farewell herum auf Booten zur „Oesterbygd" vorzudringen, indem man sich beständig innerhalb des Eisbandes in der Nähe der Küste hielt, so von Hans Egede 1723, Paars 1729, Matthias Jochimson 1732/33 und Walöe 1752. Auch zur See wurde ein letzter Versuch 1786/87 von Löwenörn, Ch. Thestrup, Egede und Rothe ohne Erfolg gemacht.

und Meddelelser IX.). Jvars Kursvorschrift lautet: „Von Snaefellsnes auf Island, das Grönland gerade gegenüberliegt, muß man zwei Tage und zwei Nächte gerade westlich segeln; da liegen in der Mitte zwischen Island und Grönland die Gunnbjörnscheren. Dies war der alte Segelweg, später aber ist Eis von Nordosten gekommen, so daß man diesen Weg ohne Gefahr nicht mehr segeln kann." Diese Worte Jvars könnten, allein genommen, so verstanden werden, als ob die Ostküste Grönlands und die dort gesuchte Oesterbygd infolge der veränderten Eisverhältnisse zu Jvars Zeit nicht mehr erreichbar gewesen seien. Aber es ergibt sich dann die große Schwierigkeit: Wie kam Jvar selbst zur Oesterbygd, wenn diese Island gegenüber lag? Mit den Angaben des Königsspiegels verglichen (s. u.), können die Worte Jvar Baardsöns nur in folgender Weise aufgefaßt werden: Man segelte früher zuerst gerade westlich, bis man die Ostküste Grönlands (= die Gunnbjörnscheren) sah; alsdann hatte man die Hälfte des Weges von Island zu den bewohnten Gegenden Grönlands. Zu Jvars Zeit aber war wegen außergewöhnlich starken Treibeises dieser Weg gefährlich, so daß man von Island sofort in südwestlicher Richtung das Kap Farewell umfahren mußte.

1) Meddelelser om Grönland IX p. 20.

Darauf verfuchte 1792 H. P. v. Eggers in der Preis-
fchrift „Om Grönlands Oefterbygds fande Beliggenhed"[1])
den Beweis zu erbringen, daß die Oefterbygd nicht auf der
Oftküfte, fondern auf der Südweftküfte Grönlands, in der
Gegend der dänifchen Handelskolonie Juttanehaab, fich befinde. Die Befterbygd fei der Godthaabsdiftrikt, der ja
tatfächlich einige Längengrade weftlich Juttanehaab liege.
Er beruft fich dabei befonders auf die antiquarifchen Un-
terfuchungen Bruhns und Arctanders auf der Weftküfte
Grönlands[2]. Von jetzt an fchenkte man befondere Auf-
merkfamkeit den grönländifchen Ruinen, die nach Angabe
der Eskimo nicht von ihnen, fondern von „Kablunaken",
Ausländern, errichtet fein follen.

Der Anficht v. Eggers' pflichteten Giefecke[3], Graah[4])
und Rafu[5]) bei.

Wormfkkold[6]) dagegen macht 1814 darauf aufmerk-

---

1) Eggers Schrift erfchien 1794 (Kiel) auch in deutfcher
Sprache: „Ueber die wahre Lage des alten Grönland, durch H. P.
v. Eggers mit zwey Karten."

2) Die Normannenruinen werden zum erftenmal erwähnt in
„Chriftian Lunds Indberetning til Kong Friderich den 3dje af
28 Martii 1664" über Danells Reifen 1652—54 (gedruckt ift ein:
„Udtog af Lunds Indberetning" von John Erichfen, Kopenhagen
1787). Hans Egede macht darauf aufmerkfam: Omstaendelig og
udtörlig Relation angaaende den Grönlanske Mission Begyndelse
og Fortsaettelse, Kjöbenhavn 1738 (deutfch Hamburg 1740) p. 68,
80, 99, 101 u. a. Wallöe befchrieb Ruinen: fieh Samleren I,
Kopenhagen 1787; ebenfo Thorhallefen' und Olfen in „Efterretninger
im Rudera og Levninger af de gamle Nordmaends og Islaenderes
Byggninger paa Grönlands Vester-Side", Kopenhagen 1776, und
Arclander und Bruhn (Samleren VI 1105—1242; v. Eggers teilt
her das Tagebuch Arctanders 1777—79 im Auszug mit). — Die
Ergebniffe Pingels 1828/29 und in den dreißiger Jahren find zu-
fammenhängend dargeftellt in Worfaae's Abhandlung „Antiquarisk
Chorographie af Grönland" G h M III 795 f.

3) I. F. Johnftrup, Giefeckes mineralogiske Reise i Grönland
(G.'s Tagebuch), Kopenhagen 1878 p. 21 und Giefecke, On the
Norwegian Settlements on the Eastern Coast of Greenland, or
Oesterbygd and their situation. Transact. of the Royal Irish
Academy XIV Part. 1 Antiquities p. 47 (1825).

4) Graah, Undersögelses-Reise til Oestkysten af Grönland
1828/31 Kopenhagen 1832 l. Tillaeg: Om Oester-og Vesterbygdens
Beliggenhed samt om Eggers og Wormskiolds Athandlinger over
denne Gienstand p. 161—190.

5) Rafn, Udsigt over Grönlands gamle Geographie, G h M
III 845.

6) Wormskiold, Gammelt og Nyt om Grönlands, Viinlands og
nogle flere af Fortaedreue kjendte Landes formeentlige Beliggende,
skand. Lit.-Selsk. Skritter 1814.

fam, daß die Oftküste Grönlands noch zu wenig erforscht
sei; vorerst müsse man noch an der älteren Ansicht fest=
halten und die Oesterbhgd auf der Ostküste suchen. Seine
Ansicht vertraten später Estrup[1]) und Nordenskiöld[2]).

Die Frage kann jetzt, nachdem die normannischen Rui=
nen besonders im Distrikt Julianehaab gründlich untersucht
sind[3]), und nachdem die dänischen Grönlandsexpeditionen
1883—85 und 1891—92[4]) außer den wenigen Ruinen an
der südlichsten Ostküste — die Floamannasaga berichte! von
einem Verirrebenen, Rolf, der auf der Südostküste wohnte
— keine normannischen Ruinen trafen, als endgültig ent=
schieden angesehen werden. Die alte Oesterbhgd ist der
heutige Julianehaabsdistrikt, die Vesterbhgd die Gegend
von Godthaab[5]).

---

1) Skand. Lit.=Selst. Skrifter 1824.
2 Nordenskiöld, Grönland, Leipzig 1886. Zuletzt hat Nor=
denskiöld seine Ansicht im Periplus 1897 p. 83 niedergelegt. Nor=
denskiöld war in seiner Ansicht besonders auch dadurch bestärkt
worden, daß man im Süden der Ostküste einige Ruinen ent=
deckte (Brodbeck „Nach Osten", Niesky 1382 und Nordenskiöld
Grönland p. 363).
3) Holm, Beskrivelse af Ruinerne i Julianehaabs Distrikt
(1880), Meddelelser VI. Kopenhagen 1888 2. Aufl. 1894. D.
Bruun, Arkaeologiske Underfögelser i Julianehaabs Distrikt 1895,
Medd. XVI 1896; Valtyr Gudmundsson hat in „Privatboligen
paa Island i Sagatiden" 1889 einen Maßstab gegeben für die Be=
urteilung der normannischen Ruinen in Grönland. Bruun wies die
Gleichheit der isländischen alten Wohnhäuser und der grönländischen
Ruinen nach.
4) Die ostgrönländische Expedition der Jahre 1883 bis 1885
unter Holms Anführung s. Medd. IX und X 1888—89. Es ist
interessant zu erfahren, daß Holm ursprünglich zu Nordenskiölds
Ansicht hinneigte und erst durch den Augenschein gezwungen,
Eggers' Ansicht annahm. Das Resultat von Holms Expedition
war (Medd. IX p. 143). „Die Expedition untersuchte die Ost=
küste Grönlands so weit nach Norden (von der Südspitze bis 66½
Gr. n. Br.), als die Oesterbhgd in Frage kommen konnte, ohne
die geringste Spur von anderen Einwohnern als Eskimos zu
finden . . . .; damit ist offenbar die Frage über die Lage der
Oesterbhgd auf der Ostküste Grönlands für immer abgeschlossen".
— Ueber die von Ryder geführte Expedition 1891—92 s. Medd. XVII.,
XVIII. und XIX. Während Holm auf Weiberbooten (Umiaks)
die Ostküste Grönlands untersucht hatte, erzwang Ryder eine Lan=
dung bei Angmagsalik.
5) Schon v. Eggers hat die in den isländischen Quellen ange=
führten Oertlichkeiten auf der Karte Grönlands bestimmt. Rafn,
G. h. M. III. 845 ff. kam fast zum nämlichen Resultat, ohne Eggers
Abhandlung gelesen zu haben. Berichtigt wurden diese in Einzel=
heiten durch H. M. Schirmer, Beliggenheden af Gardar paa Grön=
land" in Historisk Tidskrift, udgiven at den norske hist. Fore=
ning 2. Reihe V und durch Finnur Jónsson, Grönlands gamle
Topografi etter Kilderne, Medd. XX.

5) Weitere Entdeckungen der Normannen.

Die Normannen, die in der Ost- und Westansiedelung Grönlands sich bleibend niederließen, hatten auch von anderen Teilen der eisbedeckten Riefeninfel und von Ländern in ihrer Nähe Kenntnis.

Schon der Entdecker Grönlands unternahm Fahrten auf der Westküste gegen Norden. Erik der Rote fuhr nach der ersten Ueberwinterung auf Grönland (982) in die westlichen unbewohnten Gegenden (i ena vestri obygd) und gab vielen Orten Namen.[1]) Es ist jedoch unmöglch, aus dieser Angabe der Landnámabók zu bestimmen, wie weit Erik nach Norden vordrang. Befferen Aufschluß über die nördlichen Gegenden der grönländischen Westküste geben uns die Nachrichten des Björn Johnsson von Skardsá[2]). Darnach sandten die reichen normannischen Bauern auf Grönland große Schiffe zu den „Nordreitur"[3]), weil sich dort Treibholz fand und besonders weil dort der Seehundsfang mit viel Glück betrieben wurde. Der Weg zu diesen „nördlichen Sitzen" war lang und gefahrvoll. Zwei Hauptstationen werden unterschieden: „Greipar"[4]) und „Krotsfjarheidt"[5]). Im Jahre 1266 sandten grönländische Priester ein Schiff aus, um die nördlichsten Gegenden un-

---

1) Landnámabók p. 155 (Stb.) F. Jónsson 1900.

2) Björn Johnsson von Skardsá († 1655) überlieferte in den ungedruckten „Annalen Grönlands" der Nachwelt manches, von dem das Original verloren ist; G. h. M. III. 238—244. — Die Stald-Helgi-Rimur (G. h. M II 493; Stald Helge starb zwischen 1060 und 1070) erzählen, daß die Familie des Thorwald Hrein, der Hexerei verdächtig, des Landes verwiesen wurde und nach Greipar zog, „wo Grönlands Ansiedelung endet und wohin viele der Jagd und der Fischerei wegen zogen".

3) Die Snorra-Edda führt Stellen aus einer Nordrfeturdrapa an (G. h. M III 236).

4) Rafn, Grönlands gamle Geographie (G. h. M. III. 88) sucht Greipar in der Gegend nördlich von 67 Grad, weil hier das Land eine Wort (greip-Zwischenraum zwischen den Fingern) entsprechende Küstenbildung zeigt.

5) Die Angabe über den Stand der Sonne (G. h. M. III 243) weist auf 75 Grad nördlicher Breite hin. Da aber diese Breite der Westküste Grönlands schwer zugänglich ist, hat man die Krotsfjarbarheidi auf die Westseite der Baffin-Bai an den Lancastersund verlegt (Rafn G. h. M. III 885). — Die Sonnenhöhe ist jedoch nur nach dem (Gedächtnis und nach der Erinnerung) schätzungsweise bestimmt; es kann dieselbe daher leicht unzutreffend sein. Zudem ist es unwahrscheinlich, daß Normannen des Fanges wegen Reisen, die nur einen Sommer dauern konnten, in die Gegend des Lancastersundes — fast 15° nördlicher — unternahmen. Der Verfasser ist geneigt, die Krotsfjarbarheidi nördlich der Insel Disko zu suchen. Vielleicht

terfuchen zu laſſen. Dies Schiff gelangte noch weit über die Krolsfjardarheidi hinaus, man ſah viele Inſeln, Seehunde, Wale, Eisbären und Spuren der Skrälinger. Zur Rückreiſe nach der Krolsfjardarheidi brauchte man 4 Tage.

An der Südoſtküſte Grönlands ſank ſchon ſo manches Schiff in den Grund. Von 25 Schiffen kamen 985 nur 14 nach Grönland. Der Verfaſſer des Königsſpiegels weiß, daß die Seefahrer, die zu früh an das Land zu kommen ſuchten, vom Eiſe eingeſchloſſen wurden, nur wenige retteten nach Preisgabe des Schiffes in kleinen Booten das nackte Leben.[1]). Einer von den wenigen Glücklichen, denen wenigſtens die Rettung des eigenen Lebens gelang, war der Isländer Thorgils, deſſen Erlebniſſe in der Floamanna-ſaga geſchildert werden.[2]). Thorgils beſchloß um das Jahr 1000, einer Einladung Eriks des Roten Folge zu leiſten und nach Grönland überzuſiedeln. An der Oſtküſte Grönlands verlor er ſein Schiff und mit vieler Mühe rettete er ſich und die Seinen ans Land. Erſt nachdem er drei Jahre mit Hunger und Entbehrungen aller Art gekämpft hatte, kam er zu den grönländiſchen Anſiedelungen. Er traf unterwegs den Rolf, der des Landes verwieſen war und ſich ferne vom bewohnten Gebiete niedergelaſſen hatte. — 1285 berichten die Isländiſchen Annalen[3]) von der Entdeckung eines neuen Landes, „weſtlich gegenüber Island.“ Im Jahre 1194 fand man nach der gleichen Quelle Svalbards.[4]). Die alten Kursvorſchriften verlegen das Land vier Tagreiſen nördlich Langanaes (Nordoſtkap Is-

---

haben wir 72 Grad 55″, wo Graah 1824 den Runenſtein fand, der von einer kühnen Fahrt im J. 1135 (?) berichtet, als einen Punkt dieſer Station der Nordbreiten zu betrachten.

1) Königsſpiegel, herausgegeben v. O. Brenner, München 1881, p 47—48 (vgl. G. b. M. III 317).

2) Flóamannasaga, herausgegeben von Vigfússon und Unger, Leipzig 1860 (ſ. GhM II 86f.)

3) GhM III 12; ferner Storm, Islandske Annaler indtil 1578, Christiania 1888, p. 50, 70, 142, 196, 337, 383; das Wort „nya“ ſcheint erſt von ſpäterer Hand hinzugefügt zu ſein (p. 142). Das 1285 entdeckte Land iſt jedenfalls die Oſtküſte Grönlands, Island gegenüber, und nicht New-Foundland, das in einer ganz anderen Richtung liegt (Rafn, Antiquitates Americanae, ſetzt Nyaland-New-Foundland). Storm hat in Studier over Vinlandsreiſone (p. 363) den Fehler berichtigt, ſo daß alſo „die Söhne Helges die Vorgänger Nordenſkiölds“ waren, der in neuerer Zeit 1883 zum erſtenmal an der Oſtküſte Grönlands landete.

4) Isländiſche Annalen: GhM III 8, Storms Ausgabe p. 22, 62 ꝛc.

lands.[1]). Bis vor kurzem sah man allgemein die Gegend des Scoresby-Sundes als das 1194 entdeckte Land an. Erst Storm hat an dieser althergebrachten Annahme gerüttelt und gezeigt, daß damit nur Jan Mayen oder Spitzbergen gemeint sein könne.[2]).

An der Ostküste berührten die alten Normannen Land nur an wenigen Punkten. Gunbjörnscheren, Nya-Land, Svalbards, Midjökul (Blaasaerk) sind die einzigen überlieferten Namen, wenn wir vom südlichsten Teil absehen.[3]). Das Anlaufen war nur zufällig und vorübergehend.

Anders verhielt es sich mit einem Lande, das die Normannen südlich Grönland entdeckten. Hier versuchte man allen Ernstes eine neue Kolonie anzulegen. Es war Vinland (Weinland) das gute, wo wilde Trauben reiften und ungesätes Korn wuchs. Der zuverlässige Bericht der Saga Eriks des Roten[4]) gibt uns darüber Aufschluß. Im Jahre 999 fuhr Leif, der Sohn Eriks des Roten, nach Norwegen. Hier wurde er von König Olaf Tryggvason für das Christentum gewonnen. Christliche Priester sollten dasselbe auch in Grönland einführen. Auf der Rückreise nach

---

1) GhM III 209 ff; die Olaf Tryggvasonarsaga (GhM III 210) hat den gleichen Wortlaut (4 Tage) wie die Landnámabók (GhM III 212; Ausgabe F. Jónssons 1900 p. 4, 129, 262); Ivar Baardsön (GhM III 251; Medd. XX) gibt zwei Tage und zwei Nächte an.

2) Storm, Columbus paa Island oy vore forfaedres opdagelser i det nordvestlige Atlanterhav. Norske geogr. selskabs aarbog IV. Kristiania 1893.

3) Der Bericht über die Fahrt der Friesen bei Adam von Bremen ist, wo er die Fahrt nördlich von Island darstellt, so unbestimmt und zum Teil märchenhaft, daß er bei einer Geschichte der Entdeckung Grönlands nur nebenbei erwähnt zu werden braucht; vgl. darüber Kohls Abhandlung im Bremischen Jahrbuch V. 1870 p. 174 ff.

4) Durch die Antiquitates Americanae (Rafn), Hafniae 1837 und Grönlands historiske Mindesmaerker (Magnusen, Rafn u. s. w.) Kopenhagen 1838 und 1845 ist eine textkritische Verwirrung herbeschworen worden, die erst in den letzten Jahren beseitigt werden sollte. Man sah als Hauptquelle für die Weinlandsreisen die aus der Flateyarbók (Vigfusson und Unger 1860—68) genommene „Saga Eriks des Roten" an, die in Wirklichkeit eine Kombination aus zwei verschiedenen, teilweise sich widersprechenden Darstellungen ist (G. h. M. I 200—256); die wahre „Eiriks saga rauda" wurde zwar unter dem von Haul Erlendsön ihr gegebenen Namen „Thorfinn Karlsefnes saga" abgedruckt (G. h. M I. 352—442), aber als Quellschrift wenig beachtet. Deshalb unterschied man früher eine ganze Reihe von Reisen nach der amerikanischen Küste. Maurer (Geschichte der Entdeckung Grönlands p. 207) folgt jenen dänischen Gelehrten, ebenso Nordenskiöld (Grönland p. 409 ff.) Storms

Grönland im Jahre 1000 wurde Leif zu weit nach Süden getrieben und kam an ein vorher völlig unbekanntes Land, das ungesätes Getreide, wilde Weinstöcke und große Bäume trug (hweitiakrar, sjalffanir ok vinvidr varinn, ... tre sva mikil, at t hus varu logd).[1]). Nach der Errettung Schiffbrüchiger während der weiteren Fahrt erreichte Leif (wegen dieser Errettung und wegen der Einführung des Christentums „der Glückliche", „hinn heppni", zubenannt) Brattalid, den Sitz seines Vaters im Eriksfjord. Im Winter 1000—1001 wurde das Christentum eingeführt. Die Erzählungen über das n.u entdeckte Weinland mit seinen Erzeugnissen reizten die Normannen, dorthin zu fahren, das Land zu untersuchen und wo möglich zu kolonisieren. Schon 1001 unternahm Thorstein, ein Sohn Eriks, den ersten Zug; dieser mißlang jedoch, Vinland wurde wegen ungünstigen Wetters nicht erreicht. Im Sommer 1002 kam Thorfinn Karlsesne von Island nach Grönland; er stelle sich im Frühjahr 1003 an die Spitze des zweiten Zuges: drei Schiffe, beladen mit Menschen und Vieh, fuhren zuerst zur westlichen Ansiedelung und segelten von hier in südlicher Richtung. Man fand Helluland (Labradorküste), Markland (Newfoundland) und Vinland (Neuschottland.[2]). In Vinland verweilten die kühnen Seefahrer 1003 bis 1006

Verdienst ist es dargetan zu haben, wie unzuverlässig die bisherige Quelle ist; er weist hin auf die Zuverlässigkeit und das hohe Alter der wahren Sage Eriks des Roten (in Hauksbók „Thorfinn Karlsefnes saga" genannt) in Studier over Vinlandsreiserne, Aarböger for nordisk Oldkyndighed og Historie 1887 p. 293 f. Mogk (Entdeckung Amerikas durch die Nordgermanen 1892) hat die Resultate Storms zum erstenmal in Deutschland bekannt gegeben. Nordenskiöld gibt im Periplus (Stockholm 1897) p. 83 Anm. die in Storms „ausgezeichnetem Werke" enthaltenen Resultate wieder und erklärt sich nur mit dessen Annahme der „offiziellen" Chorographie Grönlands und mit der Ansicht, daß die Skrälinger Vinlands Indianer gewesen seien, nicht einverstanden.

1) G. h. M. l. 386; Storm, Eririks saga rauda og Flatöbogens Graenlendingathattr samt Uddrag fra Olafsaga Tryggvasonar, udgiven for Samfund til Udgivelse af gammel nordisk Litteratur. Kphg. 1891 p. 21. — Die auf die Entdeckungen der Nordgermanen in Amerika bezüglichen Quellen sind neu herausgegeben von Reeve, The finding of Vinland the good 1890.

2, Storm, Vinlandsreiserne p. 335. Ueber die Lage Vinlands hat man lange zu keinem befriedigenden Resultat kommen können. Wie in anderen Punkten ist aur hier Storms Arbeit bahnbrechend geworden. Nach seiner einleuchtenden Darlegung ist die Halbinsel Neuschottland als das Vinland der altisländischen Quellen anzusprechen.

und trafen während dieſer Zeit öfters mit (indianiſchen) Eingeborenen [1] zuſammen. Anfangs verkehrten Normannen und Eingeborene friedlich miteinander, bald aber kam es zu blutigen Zuſammenſtößen. Dieſe und die eigene Uneinigkeit hatten zur Folge, daß die Seefahrer wieder 1006 nach Grönland zurückkehrten. So führte dieſer Zug nur zur Unterſuchung und nicht auch, wie man beabſichtigt hatte, zur Beſiedelung der neuen Lande.

Wir erfahren nichts über einen weiteren Verſuch, das verlockende Weinland zu gewinnen. Die isländiſchen Annalen berichten nur, daß 1121 Biſchof Erik von Grönland ausfuhr, Vinland aufzuſuchen.[2]). Ob er dabei Erfolg hatte, wiſſen wir nicht.

Auch Adam von Bremen weiß von dem auf dem amerikaniſchen Feſtland entdeckten Vinland.[3]).

Die Normannen gaben ſowohl den Bewohnern Vinlands als den grönländiſchen Urbewohnern und den ſpäter eindringenden Eskimo den Namen Skrälinger. Daher kommt es, daß bedeutende Forſcher auch in den Bewohnern Vinlands Eskimos erblicken zu müſſen glauben. Storm jedoch und nach ihm Mogk bekämpfen dieſe Anſicht und ſehen in den Bewohnern Vinlands Indianer. Auch, Rinks Hypotheſe von der Verbreitung der Eskimo macht dieſe Meinung wahrſcheinlicher.[4]).

Daß die normanniſche Entdeckung von Ländern des nordamerikaniſchen Feſtlandes einen Einfluß auf des Kolumbus Entdeckungsfahrt ausgeübt hätte[5]), iſt unwahr-

---

1) Der Name Skraelingar (Zwerge) trat natürlich hier zum erſtenmal auf und wurde dann auch auf die Eskimo angewendet.
2) G h M III 6, Storms Ausgabe p. 19, 59, 112 ꝛc. — Da erſt 1124 Grönland ein Bistum mit dem Biſchofsſitze in Gardar (= Igalko) wurde, iſt dieſer Biſchof wohl als Miſſionsbiſchof ohne ſtändigen Sitz aufzufaſſen. Vielleicht hat er ſich längere Zeit in Steinsnes in der Veſterbygd aufgehalten, ſo daß Ivar Baardſön die dortige Kirche als biſchöfliche Kirche bezeichnen konnte (G h M III 258 und 259).
3) Adamus Bremenſis IV cap. 38: „Vinland, eo quod ibi vites sponte nascantur".... „fruges non seminatas habundare"; er beruft ſich auf die „ſicheren Berichte der Dänen". Seine Bearbeiter haben gerade dieſe Stelle ſehr mit Mißtrauen angeſehen und meiſt weggelaſſen; vgl. darüber Storm, Vinlandsreiserne p. 300 f.
4) Rink, The Eskimo tribes, their distribution etc. in Mdd. IX 1887.
5) 1477 ſoll Kolumbus auf einer Handelsfahrt von Briſtol aus nach Island gekommen ſein; vgl. Storm, Studier over Vinlandsreiserne p. 369; Geleich, Zur Geſchichte der Entdeckung Amerikas, Zſchr. der Geſellſchaft f. Erdkunde in Berlin 1892 XXVII p. 215.

scheinlich; denn alsdann hätte Kolumbus seine Richtung
nach Norden und Nordwesten genommen. Der Plan des
Genuesen war ein ganz anderer; Kolumbus wollte den west-
lich.n Seeweg nach Indien, also nach Ostasien finden.

Es ist ebenso übertrieben und unhaltbar, von einer
dauernden Kolonisation Vinlands durch die Normannen und
von einem Bistum Vinland zu reden, als es extrem und
einseitig ist, die Entdeckung amerikanischer Gebiete durch
die Normannen bestreiten zu wollen.[1]). Das Gebiet der
Vereinigten Staaten haben die Normannen wohl niemals
betreten. Die Errichtung eines Leibdenkmals in Boston
(1892) entbehrt jedes historischen Hintergrundes.

6) Geographische Kenntnis von Grönland im Mittelalter.

Grönlands erste Entdeckung und Geschichte im Mittelalter war nur im Norden bekannt. Gelegentlich kamen einzelne Nachrichten auch nach Norddeutschland. Der Süden
aber, die eigentliche Kulturwelt, erhielt erst spät Kunde davon. Daher ist das, was man im Mittelalter von Grönland wußte, nur auf die nordischen Völker zu beziehen.

Dem regen Handelsverkehr zwischen Norwegen und
Grönland, besonders in den ersten drei Jahrhunderten des
Bestehens der grönländischen Kolonien, der Zeit ihrer Blüte, entspricht eine ziemlich umfangreiche geographische Kenntnis des Landes. Der Königsspiegel [2]) zeigt, daß man
n'cht schlecht unterrichtet war.

Man konnte nicht wissen, ob man es mit einer Insel
oder mit einem Festlandsteile zu tun hatte. Adam von
Bremen nennt Grönland eine Insel; der Verfasser des Kö-

---

1) Die sich widersprechenden Ansichten sind charakterisiert in
Fischers Entdeckungen, Vorwort p. III und IV; Horsford (The
discovery of America by Northmen, Cambridge 1888), Gravier,
Knötel, Shipley, Anderson, Moosmüller, Jelle u. a. gehen in ihren
Annahmen zu weit: Bankroft, Gelcich, Winsor (Narrative and
critical hystory of America, Boston 1889) u. a. vertreten einen
extremen Skeptizismus.

2) Der Königsspiegel ist um 1200 von einem norwegischen
Edelmann verfaßt. In einem Zwiegespräch unterrichtet ein Vater
seinen Sohn. Bei der Erklärung der einzelnen Berufsarten kommt
der Vater auch auf den Kaufmannsstand, den Handel und auf
Grönland zu sprechen. — Der Königsspiegel wurde zuerst 1768 von
Half. Einarsen, Sorö, veröffentlicht, 1845 in G h M III p. 308 f.;
1848 Christiania von Kenser, Munch und Unger; zuletzt 1881 von
O. Brenner, München; vgl. cap. 16—22 und cap. 45—57.

nigsspiegels ist eher geneigt, es als zusammenhängend mit
dem europäischen Festland zu betrachten (50 und 51, 326).[1])
Nach alten Erdbeschreibungen erstreckt sich das europäische
Festland von Norwegen östlich nach Biarmeland (Permien),
dann nördlich bis zu den Grenzen Grönlands; Vinland
hängt nach der Ansicht vieler mit Afrika zusammen. Zwischen Grönland und Vinland dachte man sich eine der
Oeffnungen, die zum erdumfließenden Ozean führen (G. h.
M. 3, 216—226).

Das Land ist fast ganz bedeckt mit Eis (51, 328);
Berge und Täler werden dadurch verhüllt, nur längs der
Küste erstreckt sich ein schmaler Streifen eisfreien Landes.
Daher zählt das Land auch nur wenig Bewohner. Der
Boden kann kein Getreide zeitigen; die meisten Grönländer
wissen nicht, was Brot ist (50, 326). Aber saftige Wiesen
ermöglichen die Viehzucht; man hält Rinder und Schafe
(52, 332), Butter und Käse dienen zur Nahrung. Ferner
wird das Fleisch geschlachteter Rinder und Schafe, außerdem von erlegten Jagdtieren, besonders von Renntieren,
Walen, Seehunden und Eisbären gegessen. Außer diesen
Tieren trifft man den Polarhasen und den Polarfuchs. Es
kommen auch weiße Falken in Menge vor; aber man weiß
sie nicht abzurichten (51, 330).

Das Meer ist belebt mit vielen Wal- und Seehunde-
arten. Die Stoßzähne des Walrosses, seine starke Haut,
welche, in Riemen geschnitten, die besten Taue gibt, außerdem Seehundsfelle bilden wichtige Handelsartikel (50,
316). Wie das Land, so ist auch das Meer mit Eis bedeckt, und zwar findet man mehr Eis im Nordosten und
Osten als im Süden und Südwesten (57, 316). Wer deshalb nach Grönland will, muß in südwestlicher und

---

[1] Der Grund für diese Auffassung liegt wohl in der Entdeckung Svalbards, das man als einen Teil des Europa und
Grönland verbindenden Landes ansah. — Interessant und für die
damalige Zeit merkwürdig ist der Versuch einer Tiergeographie.
Der Verfasser des Königsspiegels glaubt, Grönland müsse mit dem
Festland zusammenhängen, weil sich dort Tiere fänden, die nur auf
Kontinenten vorkämen. — In dieser Ansicht wurde man auch bestärkt durch die Erzählung von Hallr geit, der mit einer Ziege, von
deren Milch er sich nährte, den Weg von Europa nach Grönland
und wieder nach Norwegen zurückgelegt habe (s. den Auszug aus den
ungedruckten grönländischen Annalen Björn Johnssons von Skardsá
in G h M III 524); schon Torfaeus (Groenlandia antiqua, Hafniae
1706 p. 26) bezweifelt diese Reise. — Die in ( ) beigesetzten Zahlen
beziehen sich auf Brenners Ausgabe des Königsspiegels und auf
G h M III.

weſtliche. Richtung um das Land herumfahren. Das Meereis iſt flach und vier bis fünf Ellen dick; es ſcheint auf dem Meere gefroren zu ſein; oft liegt es ganz ruhig, oft aber bewegt es ſich ſo ſchnell wie ein Schiff, das günſtigen Wind hat. Das Eis bewegt ſich ſowohl mit dem Wind als gegen denſelben, wenn es im Treiben iſt (48, 318).[1]). Eine andere Art des Eiſes ſind die Falljöt-lar.[2]). Dieſe ragen wie Felſen über die Meeresoberfläche und frieren nicht mit dem andern Eiſe zuſammen, ſondern halten ſich allein. Die Hafgerdingar (47, 314) ſind eine gewaltige Meereserſcheinung, die dem in der Nähe befind-lichen Schiffer Tod und Verderben bringt.[3]).

In Grönland herrſcht außerordentliche Kälte, weshalb im Sommer wie im Winter Waſſer und Land mit Eis be-deckt ſind (54, 340). Die Stürme erreichen dort eine Hef-tigkeit wie nirgends ſonſt (57, 358). Zuweilen genießt man herrlichen Sonnenſchein, ja das Wetter iſt im allgemeinen eher gut als ſchlecht zu nennen (54, 340). Im Winter iſt Grönland faſt beſtändig in Nacht gehüllt, während der Sommer faſt ein ununterbrochener Tag iſt. Aber auch im Sommer, wenn die Sonne am höchſten ſteht, hat ſie nur Kraft zum Leuchten, weniger zum Erwärmen; nur ein klei-ner Teil des Bodens taut dann auf und kann angebaut werden (54, 342). In dunkler Nacht zur Zeit des Neu-mondes wirft oft das Nordlicht, ein mächtiges Feuer, ſeine Strahlen in die Luft. Es erſcheint wie eine flackernde Flamme. Bei ſtarkem Nordlicht können die Menſchen ihren Berufsgeſchäften nachgehen, als ob heller Tag wäre (55, 342).

Wahrlich, eine anſehnliche Summe geographiſcher Kennt-niſſe! Da dieſelben aber nicht Gemeingut der Menſchheit wurden, gerieten ſie zugleich mit dem Rückgang der Nor-mannen wieder in Vergeſſenheit.

---

1) Hier wird wohl die Kenntnis des an der Oſtküſte Grön-lands ſüdwärts ſtreichenden Polarſtromes vorausgeſetzt.

2) Der Name „Fallgletſcher" deutet darauf hin, daß man über deren Entſtehung gut unterrichtet war, wenn auch nicht aus-drücklich das Fortſchreiten des Inlandeiſes erwähnt wird. Außer-dem läßt dies der Gegenſatz zum Packeis vermuten, „das auf dem Meere gefroren zu ſein ſcheint."

3) Steenſtrup (Aarböger for nordisk Oldkyndighed 1871) führt dieſe Erſcheinung auf unterſeeiſche vulkaniſche Ausbrüche zurück. — Die Landnámabók erwähnt eine Hafgerdingadrapa (Ausgabe Jónsſons p. 85 und 156).

7) Verfall der normannischen Kolonie in Grönland. Letzte Nachrichten.

Es liegt außerhalb des Rahmens der vorgenommenen Aufgabe, die innere Entwickelung der normannischen Kolonie in Grönland bis ins einzelne zu verfolgen. Es sei hier verwiesen auf Maurers Darstellung der Kirchen- und Profangeschichte Grönlands.[1]). Nur das Wichtigste möge mit wenig Worten hier erwähnt werden.

Die grönländischen Kolonisten trieben Handel mit Island und besonders mit Norwegen, Handelsschiffe brachten aus Europa, was man zum Leben nötig hatte, Bauholz u. dgl.; sie führten Häute von Rindern, Seehunden und Walrossen, Stoßzähne von Narwalen und Walrossen und die Jagdbeute der Grönländer aus.

Schon im Jahre 1000 wurde das Christentum nach Grönland verpflanzt, seit 1124 hat das Land sogar einen ständigen Bischof in Gardar, allerdings, wie der Verfasser des Königsspiegels bemerkt, nicht wegen der großen Anzahl von Bewohnern, sondern wegen der großen Entfernung von andern Bistümern. Die Gripla [2]) nennt zwölf Kirchen in der Oesterbygd und vier in der Vesterbygd. Ein alter Chorograph [3]) zählt 190 Höfe in der Oesterbygd und 90 in der Vesterbygd. Im Jahre 1261 hörte Grönlands Selbständigkeit auf; es wurde als „Schatzland" (Kronland) dem Königreich Norwegen einverleibt.[4]).

---

1) Maurer, Grönland im Mittelalter, Zweite Deutsche Nordpolarfahrt 1869/70, Leipzig 1874, I p. 210—241. — Grönlands Geschicke werden berichtet in Königs- und Bischofssagas, in Sagas berühmter Isländer, in Verordnungen der Päpste, der norwegischen Regenten und der Bischöfe von Hamburg, Lund und Thronbheim in den isländischen Annalen, in dem Berichte Ivar Baarbsöns und in den Nachrichten, die wir Björn Johnsson von Skarbsá verdanken; Anhaltspunkte geben auch die in Grönland gefundenen Steine mit Runeninschriften und die normannischen Ruinen in Grönland. — Die Quellen sind zusammengestellt in G h M, zum Teil auch seitdem neu herausgegeben, so die Heimskringla des Snorra Sturluson, Upsala 1872; Biskupa sögur, Kphg. 1858; Flateyarbók, Christiania 1860—68; Fornsögur, Vigfússon und Möbius 1860; Eyrbyggjasaga, Gering, Halle 1897; Gislasaga Surssonar, F. Jónsson, Halle 1903; Grettisaga, Boer, Halle 1900; Munch, Pavelige Nuntiers Reynskabs- og Dagböger 1282—1334, Christiania 1864; Storm, Islandske Annaler indtil 1578, Christiania 1888; J. C. Heywood, Documenta selecta e tabulario secr. vat 1893
2) G h M III 224.
3) G h M III 228.
4) G h M II 680.

Gegen Ende des Mittelalters wurden die Nachrichten aus Grönland immer seltener; die Kolonie zerfiel mehr und mehr, schließlich kannte man Grönland nur noch dem Namen nach, die Schiffahrt dorthin hörte auf. Nach der Entdeckung Amerikas mußte Grönland ein zweites Mal entdeckt werden.

Zwei Momente waren es, die zusammenarbeiteten an dem Verfall der grönländischen Kolonie: das Vordringen der Eskimo in Grönland und der Rückgang des nordischen Handels.

Schon bei der Besitzergreifung des Landes hatten die Normannen Gegenstände gefunden, die erkennen ließen, daß einzelne Eskimo schon vorher an die Westküste Grönlands gekommen waren. Vielleicht sind auch die „Hexen" des an die Ostküste verschlagenen Thorgils als Eskimoweiber zu deuten. Normannische Jäger stießen nach der Historia Norwegiae [1]) im Norden (West-) Grönlands, jenseits des bewohnbaren Landes, auf Skraelinger. Im Jahre 1266 waren Spuren der Eskimo nur nördlich der Kroksfjardarheidi zu treffen. [2]) Aber gegen die Mitte des 14. Jahrhunderts drangen die Eskimo in großer Anzahl nach Süden vor. Vielleicht waren schon jene Grönländer, die 1347 nach Markland fahren wollten, aber nach Island verschlagen wurden, [3]) durch das Vordringen des Polarvolkes zur Auswanderung veranlaßt worden. 1355 wurde ein Schiff „zur Erhaltung des Christentums" nach Grönland geschickt. [4]) Als Ivar Baardsön Mitte des 14. Jahrhunderts von der Ostansiedelung abgesandt wurde, die Skrälinger aus der Westansiedelung zu vertreiben, fand er dort keinen Menschen. [5]) Die isländischen Annalen [6]) berichten von einem im Jahre 1379 erfolgten Einfall der Skrälinger, bei welchem 18 Grönländer (Normannen) getötet und zwei junge Männer gefangen und weggeschleppt wurden. Dieser Vorstoß galt jedenfalls der Oesterbygd.

---

1) Munch, Symbolae ad hist. antiquam rer. Norw. Christiania 1850 p. 2; Storm, Monumenta historica Norwegiae, Christiania 1870 p. 76.
2) G h M III 240;
3) G h M III 15; Storm, Jslandske Annaler p. 213, 353, 403.
4) G h M III 122.
5) G h M III 259.
6) G h M III 33; Storm, Isl. Annaler p. 304.

In ihrer Not blieben die normannischen Grönländer ohne norwegische Hilfe. Und die Norweger konnten wohl auch ihren entfernten Stammesgenossen nicht zu Hilfe kommen. Der Norden Europas erlebte gerade die Zeiten der Kalmarer Union; bei den Ereignissen im Innern Norwegens mußten die Vorgänge in Grönland unbeachtet bleiben. Zudem war mit dem Niedergang des norwegischen Handels auch der Verkehr mit Grönland ins Stocken geraten. Ausländische Kaufleute, besonders die im 14. Jahrhundert emporgekommene deutsche Hansa, hatten den nordischen Handel an sich gerissen. Durch die verkehrte Handelspolitik der norwegischen Könige war verhindert worden, daß die Fremden auch in Grönland das Erbe des nordischen Handels antreten und dort dem bedrängten Germanentum zu Hilfe eilen konnten. Schon um 1300 war auswärtigen, besonders deutschen Kaufleuten der Handel nördlich Bergen und besonders auch in den Schatzlanden des Königs, zu denen Grönland gehörte, verboten worden.[1]) Später verlangte man sogar von Inländern, die nach Grönland Handel treiben wollten, Abgaben.[2]) So war dem grönländischen Handel die Lebensader unterbunden. Der regelmäßige Verkehr hatte aufgehört, und die Normannen in Grönland waren den Eskimos preisgegeben.

Was ist aber aus den grönländischen Kolonisten geworden? Die Nachrichten, die im Laufe des 15. Jahrhunderts von Grönland nach Europa kamen, sind sehr spärlich, zum Teil unsicheren Ursprungs und lassen nur Vermutungen aussprechen. Die isländischen Annalen erwähnen 1410 zum letztenmal ein Schiff, das von Grönland nach Norwegen kam; 1406 war es nach Grönland verschlagen worden.[3]). Drei Urkunden beziehen sich auf eine 1408 in Grönland abgeschlossene Ehe und beweisen, daß damals noch Priester in Grönland tätig waren.[4]). Nach einem Schreiben des

---

1) Diplomat. Norweg. V p. 22 Vertrag vom 6. Juli 1294; „non tamen ultra Bergas versus partes boreales, nisi hoc alicui de speciali gratia concedatur (p. 24)"; 1425 wiederholte Erich der Pommer das gegen die Ausländer gerichtete Verbot (G h M III 159 f); 1431 wird geklagt, daß die Engländer gegen das Verbot nach Grönland Handel trieben (G h M III 160).
2) G h M III 139 ff; nach dieser Urkunde bestand das Verbot im Jahre 1389.
3) G h M III 40; Storm, Isl. Annaler p. 288.
4) G h M III 148, 152, 156

Papstes Nikolaus V. aus dem Jahre 1448 [1]) erfolgte 1418 (ante annos triginta) ein neuer Ansturm der Eskimo auf die christliche Kolonie in Grönland; das Land wurde „mit Feuer und Schwert" verwüstet. Jelic fand einen Brief des Papstes Alexander VI. aus 1492 oder 93 [2]), welcher mitteilt, daß man in Grönland noch alljährlich ein vor 100 Jahren gebrauchtes Altartuch dem Volke zeige. Darnach ist wohl nicht zu bezweifeln, daß die Normannen den wiederholten Angriffen der Eskimo erlagen.[3]). Einzelne mögen sich den Eroberern gefügt und auch nach Annahme der Eskimolebensweise Gebräuche, die an das Christentum erinnerten, wie die Verehrung des Altartuches, beibehalten haben.[4]).

---

1) G b M III 168; Diplomat Norweg VI. 554. Storm (Nye Etterretninger om det gamle Grönland in Historisk Tidskrift III 2. 892 p. 399 ff) hat die Unzuverlässigkeit dieser Quelle in manchen Punkten dargetan. Allein der Kampf der Eskimo gegen die christlichen Grönländer wird ja auch in anderen Quellen berichtet; daher kann die Nachricht über den Ansturm des Jahre 1418 auf einer wahren, nach Europa gelangten Kunde gegründet sein. Der Brief findet sich Heywood, Documenta selecta etc. p. 9 und 10.

2) Jelic, L' évangélisation de l'Amérique avant Christophe Colomb, Paris 1891, V. 183; vgl. Fischer, Entdeckungen der Normannen p. 49; ferner Heywood, Documenta selecta p.12 f. Dieser Brief setzt eine Landung in Grönland um 1490 voraus. Vielleicht ist damit in Verbindung zu bringen die Reise des Polen Johannes Scolvus, der 1476 auch Grönland berührt haben soll (zum erstenmal erwähnt in Historia de las Indias von dem Spanier Francisco Lopez de Gomara 1553, vgl. G h M III 628 f.), und die Nachricht über die Seeräuber Pining und Pothorst bei Olaus Magnus, De gentium septentrionalium condicionibus II cap. 11. Die Bemerkung im Briefe Alexanders VI.: „ad dictam terram (Grönland) . . navis aliqua ab octoginta annis non creditur applicuisse" ist wohl kein Argument gegen den Brief Nicolaus' V.; denn die Nachricht von dem Ueberfall des Jahres 1418 kann schon bald nach Europa gekommen sein, so daß fast 80 Jahre inzwischen liegen; außerdem hielt, wer um 1448 nach Grönland fuhr, die Fahrt wegen des norwegischen Handelsverbots geheim.

3) Nordenskiöld, Grönland p. 415 und Periplus p. 83 bestreitet diesen Kampf, da er ihn nicht für vereinbar hält mit dem friedlichen Wesen der Eskimo; er nimmt eine friedliche Vermischung der Normanen mit den Eskimo und eine allmähliche Eskimoisierung des germanischen Blutes an. Allein er verwechselt die Eskimo, die jetzt in Grönland leben, mit jenen Eskimo, die sich Wohnsitze und Fangplätze suchen und nötigenfalls erkämpfen mußten. Die Normannen verzichteten jedenfalls nicht freiwillig auf die Bedingungen ihrer Existenz, und selbst ein gutmütig veranlagtes Volk wird, von der harten Not getrieben, nicht den blutigen Kampf scheuen, wenn es vor der Frage des Sein oder Nichtsein steht.

4) Auf diese würde gut die Nachricht des Bischofs Gisle Oddsön, der eine 1630 verbrannte Archiv- und Büchersammlung zu Skalholt noch benützen konnte, passen, wonach die Grönländer zur Religion,

Am Ende des Mittelalters, als der Norden schon die Fühlung mit der einst blühenden Kolonie verloren hatte, drang die Kunde von Grönland auch zur Gelehrtenwelt des Südens. Der gelehrte Däne Claudius Claußön Swart [1]) weilte 1423—24 in Rom und wurde von italienischen Humanisten angeregt, das ptolemäische Weltbild durch die kartographische Darstellung des Nordens zu ergänzen. Seine Nordlandkarte mit Beschreibung der Nordlande war 1427 fertig, da sie in diesem Jahre von dem Kardinal Fillaster in der zu Nancy aufbewahrten handschriftlichen Ptolemaeus-Rezension Fillasters benutzt wurde. Außerdem wird von Schöner [2]) und Friedlieb (Irenicus) [3]) die Kenntnis des Nordens auf Claudius Clavus Niger zurückgeführt.[4]) Die Nordlandkarte dieses Dänen wurde im 15. Jahrhundert besonders durch den Kartographen Nicolaus Germanus [5]), einen deutschen Humanisten, der in der zweiten Hälfte des 15. Jahrhunderts in Italien weilte, verbreitet.

Anfang und Mitte des 16. Jahrhunderts floß ebenfalls vom Norden einige Kenntnis von Grönland dem Süden zu. Der bayerische Kartograph Ziegler schöpfte in seiner Scondia [6]) aus den Mitteilungen des Throndheimer Erzbischofs Wallendorf [7]) Albert Krantz verpflanzte die Kenntnisse

---

der amerikanischen Völker übergingen (G h M. III 450). Man müßte allerdings mit Maurer (a. a. O. p. 235 Anm. 1) das überlieferte Jahr 1942 als Schreibfehler für 1432 lesen.

1) Vergl. Storm, Ymer 1889 und 1891; A. A. Biörnbo og C. S. Petersen, Fynboen Claudius Claußön Swart (Clavus Niger), Nordens aeldste Kartograf, Kphg. 1904; vgl. Günther, die Anfänge der Geo- und Kartographie in Skandinavien, in der Zeitschrift „Natur und Kultur" II. Jahrg 1. Heft Oktober 1904 p. 1 f.

2) Luculentissima quedam terre totius descriptio, Nürnberg 1515.

3) Germaniae exegeseos volumina duodecim, Hagenau 1518.

4) Vgl. den Abschnitt „Auffassung und Darstellung der Entdeckungen der Normannen in Amerika. Die Kosmographen Claudius Clavus, Donnus Nikolaus Germanus und Martin Waldseemüller" in Fischers Entdeckungen der Normannen p. 57 ff)

5) Ueber die darauf bezüglichen Kartenfunde Nordenskiölds, Wiesers und Fischers sieh Nordenskiöld, Facsimileatlas p. 55 Tab. XXX, Bidrag I, II, III; Periplus p. 85, 86 f. Tab. XXII und Fischer, Entdeckungen der Normannen Tab. I, II, III, IV, V, VI. Fischer gibt wohl auch die richtige Erklärung für die verschiedene Darstellung Grönlands in der zweiten und dritten Ptolemäus-Rezension des Nicolaus Germanus in Entdeckungen der Nordgermanen p. 87 f.

6) Ziegler Jakob, Quae intus continentur: Syria, Palaestina, Arabia Petraea, Aegyptus, Scondia, tradita ab auctoribus qui etc. Argentorati 1532 p. 92—93.

7) Nur Walkendorf kann gemeint sein, wenn Ziegler von den Mitteilungen eines Throndheimer Erzbischofs spricht. Wallendorf

Adams von Bremen nach Süddeutschland [1]). Des Olaus Magnus historia de gentibus septentrionalibus ꝛc., Romae 1555 wurde in fast alle westeuropäischen Sprachen übersetzt und in unzähligen Auszügen abgedruckt. Brenner hat des Olaus Carta marina wieder aufgefunden.[2]). Leider wurde das Interesse, das im 16. Jahrhundert für den hohen Norden erwacht war, mißbraucht, was für die folgenden Jahrhunderte nicht ohne nachteilige Folgen blieb. Der Venetianer Zeno wollte alte Handschriften gefunden haben, in welchen die Reisen von zwei älteren Zeniern aus ca. 1380 überliefert gewesen seien. Dieser „Zenierbericht" [3]) wurde lange als zuverlässige Quelle angesehen. Ebenso betrachtete man Jahrhunderte hindurch die Zenierkarte als Autorität. Da aber jetzt die Abhängigkeit der Zenierkarte nicht nur von Ptolemaeus, sondern auch von der Carta marina des Olaus Magnus nachgewiesen ist, hält man ziemlich allgemein Karte und Bericht für ein Machwerk des 16. Jahrhunderts. Die abenteuerlichen Vorstellungen von Grönland im 16. und 17. Jahrhundert stammen aus dieser Quelle. [4]).

Wie im Norden das wirkliche Grönland aus dem Gesichtskreise verschwunden war, so hatten sich im Süden die Vorstellungen von diesem Lande trotz relativ guter Karten zu einem Zerrbild umgestaltet. Grönland war hier schließlich ein Wunderland geworden, von dem man nur Märchenhaftes zu berichten wußte.

hatte eine Expedition nach Grönland veranlassen wollen, worauf sich eine Ablaßbewilligung von 1514 bezieht (GhM III 192 ff); über die von Walkendorf über Grönland gesammelten Nachrichten vgl. GhM III 482 f. Die Fahrt kam nicht zur Ausführung, weil Walkendorf sich die Ungnade des Königs zuzog. Er verbrachte den Rest seines Lebens in Rom.

1) Chronica regnorum Aquilonarium Daniae, Svetiae, Norvegiae; Argentorati 1546 p. 591—592.

2) O. Brenner, die echte Karte des Olaus Magnus vom Jahre 1539 nach dem Exemplar der Münchener Staatsbibliothek. (Jahresb. d. Geogr. Ges. zu München 1887).

3) Dei commentarii de viaggio in Persia . . . Et dello scoprimento dell' Jsole Frislanda, Engroneelanda, Estotilanda et Icaria . . . da due fratelli Zeni, M. Nicolo e M. Antonio . . . Venitia per Francesco Marcolini 1558. Der in Medd. XIII. p. 1—4 angegebenen Literatur kann noch Nordenstiölb, Studien und Forschungen; Storm, Om Zeniernes Reiser, norske geogr. Selsk.'s aarbog, Kristiania 1891, und Lucas, The annales of the voyages of the brothers Nic. and Antonio Zeno etc. London 1868 beigefügt werden.

4) Den Zenierbericht kopiert auch D. Blessenius (Islandia . . ., cui de Gronlandia sub finem quaedam adjecta. Lugdunum Batavorum 1607), gegen den sich schon Arngrim Jonas (Anatome Bleikeniana, Holum 1609) wendet.

II. Grönlands Wiederentdeckung. [1]

A. Entdeckungszeitalter der Engländer.

Im 16. Jahrhundert und im Anfang des 17. Jahrhunderts verdanken wir fast alle Entdeckungen auf Grönland den Engländern; ja selbst von den Entdeckungsfahrten, die von Dänemark ausgingen, und für deren Ausrüstung die Dänen aufkamen, hatten nur jene Expeditionen Erfolge zu verzeichnen, welche von Engländern zwar nicht nominell, aber faktisch geleitet wurden. Die Entdeckungen dieser Zeit knüpfen sich an die Namen Frobisher, Davis, Hall und Baffin.

1. Frobisher.

Als 1492 durch die Entdeckungen des Genuesen Kolumbus für Europa sich eine neue Welt im Westen erschlossen hatte, da dachten auch die Dänen wieder an Grönland, das als norwegisches Schatzland durch die Kalmarer Union an die Krone Dänemarks gefallen war. Allein man kam anfangs nicht über Projekte hinaus. So führten weder die Bestrebungen Walkendorfs, noch die Verhandlungen mit Christiern Aalborg 1568 [2]) und mit Richetz 1576 [3]) zu einer Expedition nach Grönland.

Die Engländer waren es, die sich den Ruhm, Grönland zum zweitenmal entdeckt zu haben, erwarben. Die Engländer kamen, auf der Suche nach einer nordwestlichen

---

1) Pingel hat in der Abhandlung „Om de nyere Reiser fra Danemark etc." in GhM III p. 625 ff., abgesehen von Scoresbys Reise, nur die dänischen Entdeckungen behandelt. Maurer, Zweite Deutsche Nordpolarfahrt l. c. p. 249 ff. gibt einen wenig Neues bringenden Auszug aus Pingels Arbeit.
2) Die Königliche Proklamation an die normannischen Grönländer, die man noch anzutreffen hoffte, s. GhM III p. 201.
3) Ein darauf bezüglicher Brief an Ludwig Munk findet sich GhM III 685 und Norske Rigsregistranter (Lundt) II 188—184.

Durchfahrt zur Ostküste Asiens und angelockt durch das Gold, das man in den arktischen Gegenden zu finden hoffte, nicht nur mit dem nördlichen Amerika, sondern auch mit Grönland in Berührung. Zum erstenmal brachte Frobisher sichere Kunde von den Ländern im Nordwesten. Im Auftrage der Königin Elisabeth unternahm er seine drei denkwürdigen Reisen in den Jahren 1576, 1577 und 1578.[1]).

Zum erstenmal sah Frobisher Grönlands Küste am 1. Juli 1576,[2]) er hielt es für das Friesland der Zenterkarte. Wegen des Eises konnte er nicht landen. Auch auf der zweiten Reise bekam Frobisher am 4. Juli 1577[3]) in 60½ Grad n. Br., also in der Nähe der Südspitze, Grönland in Sicht. Er traf auf eine Menge Eisberge von erstaunlicher Größe. Aber es gelang ihm auch in diesem Jahre nicht zu landen. Erst auf der dritten Fahrt am 20. Juni 1578[4]) hatte er das Glück, auf „Westfriesland", das man jetzt „Westengland" nannte, zu landen und die Küste für die Königin Elisabeth in Besitz zu nehmen. Mit den Eingeborenen, die er sah, konnte er nicht zusammenkommen. Frobisher nannte das Land westlich der später nach Davis benannten Straße „Grönland".[5]). Die falsche Namengebung, die durch die Zenterkarte hervorgerufen war, verleitete später die Kartographen, die Frobisherstraße nach dem wirklichen Grönland zu verlegen. Die Verwirrung wurde erst gelöst, als Hans Egede 1723 erwies,[6]), daß in Südgrönland keine Meeresstraße vorhanden sei, welche die Westküste mit der Ostküste verbinden sollte. Es wurde schon bemerkt, daß dieser kartographische Fehler die Ursache für die Verlegung der Oesterbygd auf Grönlands Ostküste wurde

---

1) Die Beschreibung in Hacluyts „The principal Navigations", 1589 und 1600 ist abgedruckt in Collinson, The three voyages of Martin Frobisher, in search of a passage to Cataya and India by the Northwest 1576–1578. Reprinted from the first edition of Hacluyt Voyages, London. Hacl. soc. 1867.

2) Collinson, a. a. O. p. 71: „He hadde sight of a highe and ragged land, which he judged Freeseland."

3) Collinson a. a. O. p. 124: „We made the land perfect and knew it to be Freesland .... we found ourselves to be in the latitude of 60½° and were fallen with the southermost parte of this land."

4) Collinson p. 232: „Heere the Generall and other gentlemen wente ashore, being the fyrste known Christians, that we have true notice of, that ever set foote upon that ground."

5) Die beiden Karten Hacluyts aus 1578 f. bei Collinson.

6) Hans Egede, Omstaendelig og udførlig Relation, Kopenhagen 1738 p. 103 f.

In Dänemark, wo noch die Tradition vom alten Grönland fortlebte, wußte man die Entdeckungen Frobishers zu
würdigen. Denn hier ging schon 1579 die erste Expedition
auf Kosten der dänischen Regierung ab. Die Expedition
wurde geführt von dem Engländer Jakob Allday, der wahrscheinlich an Frobtshers Reisen teilgenommen hatte. Am
26. August 1579 sah man Grönlands Ostküste („finge wij
Grönland wdt figt"), eine Landung war aber wegen des
Eises unmöglich Schließlich trat Allday die Rückreise an,
ohne Grönland ein zweites Mal gesehen zu haben.[1]

Nicht lange darnach, im Jahre 1581,[2] folgte eine
Expedttton, geführt von dem Seehelden Mogens Heinesen,
ausgerüstet von Privatleuten. Lyschander[3] erzählt, Heinesen habe den Hvidsaerk gesehen. Wahrscheinlich hat Heinesen wie Allday seinen Weg nördlich um Island genommen
und die Ostküste Grönlands zu erreichen gesucht. Das Land,
das er sah, konnte er ebenso wenig wie seine Vorgänger
gewinnen und so kehrte er im Herbst unverrichteter Dinge
wieder zurück. Das Abenteuer mit dem Magnetstein, der
Heinesen im Meere festgehalten haben soll, so daß dieser die Küste nicht erreichen konnte, obwohl sie vor ihm
lag, ist wohl mit Nordenskiöld[4] durch die Brechung des
Lichtes in den Polargegenden zu erklären, durch welche
die Küste des Landes, Eisberge und Schiffe oft so gehoben
werden, daß sie ganz nahe erscheinen. Der „Seehahn" Heinesen glaubte, da er dem Lande trotz günstigen Windes nicht
näher zu kommen schien, durch die Kraft des in der Tiefe

---

1) Allday's Tagebuch f. G h M III. 641—647; auf diese Expedition beziehen sich auch die G h M III 639—640 und Norske
Rigs - Registranter II. 387—388 gedruckten königlichen Erlasse.
Weitere zwei Briefe G h M III. 647—650 lassen erkennen, daß 1580
eine zweite Reise Alldays g plant war, die aber nicht ausgeführt
wurde.

2) Thorodsen (Gebhardt) p. 137 hält 1586 für richtiger.

3) Lyschander, Den grönlandske Chronica, Kiöbenhavn 1608.
Das seltene Buch konnte ich nicht erhalten; auch Lunds „Mogens
Heinesen, Kopenhagen 1877 konnte mir von der Münchener Staats-
bibliothek nicht überlassen werden.

4) Nordenskiöld, Grönland p. 50--52; Nordenskiöld erlebte
1883 etwas Aehnliches. „Es ist ein Zauberland", sagte einer der
mit Nordenskiöld fahrenden Lappländer, „es kommt nicht näher,
obgleich wir direkt und in schneller Fahrt darauf lossegeln".

des Meeres liegenden Magnetsteines zurückgehalten zu werden.[1]).

So hatten die beiden dänischen Expeditionen nur wenig erreicht; eine Landung auf Grönland war beide Male unmöglich. Der Grund, warum die dänischen Erfolge weit hinter denen der Engländer zurückblieben, liegt darin, daß die Dänen nicht den Fußspuren Frobishers folgten, sondern infolge der erwähnten falschen Auslegung der von Walkendorf gesammelten Kursvorschriften den Hauptteil der alten normannischen Kolonie, die Oesterbygd, die man noch in Blüte anzutreffen hoffte, auf der Ostküste Grönlands suchen zu müssen glaubten.

Die Verhandlungen mit Oliver Brunell von Antwerpen und Arndt Meier von Bergen 1583,[2]), andererseits mit den Dänen Peter Hvitfeld und Christopher Walkendorf[3]) haben wohl zu keinem Unternehmen geführt.

2. Davis. [4])

Die Engländer machten bald in der Erschließung Grönlands einen bedeutenden Schritt vorwärts. Davis unternahm 1585—87 drei von englischen Kaufleuten ausgerüstete Expeditionen. Er setzte, wie Frobisher eine Nordwestdurchfahrt suchend, glücklich das von diesem begonnene Werk auch in Grönland fort.

Auf der ersten Fahrt 1585 entdeckte er am 20. Juli „the Land of Desolation"[5]) an der Südostküste Grönlands.

---

1) Die Sage vom Magnetstein wurde jedoch nicht von Heinesen erfunden; diese findet sich schon auf der von Nordenskiöld (Grönland p 46/47) niedergegebenen Ruysch-Karte aus 1507 oder 1508; hier steht an der Ostküste Grönlands: „Hic incipit mare sugenum, hic compassus navium non tenet, nec naves quae ferrum tenet revertere valent". S. darüber Nordenskiöld, Grönland p. 390 Anm.
2) S. G h M III. 660 - 664 Norske Rigs-Registranter II. 504 - 6.
3) G h M III. 665.
4) Markham, the voyages and works of John Davis the navigator, London, Hacl. soc. 1880 gibt den Text der Reisebeschreibung Hachuyt's 1589 und 1600 III. wieder.
5) Markham p. 4. Hacl. III 98. Das Land Desolution auf der Ostküste ist nicht mit dem Cap Desolation (Hall) auf der Westküste zu verwechseln. — Daß das Land Desolation auf der Ostküste zu suchen ist, sagen Bemerkungen von John Jane vom 21. und 22. Juli (Markham p. 4 und 5): „we cleared ourselves of the yce, running South south west along the shore" und „we

Am 24. Juli segelte Davis um die Südspitze Grönlands (Kap „Farewell") und lief, außer Sicht des Landes, mit nordwestlichem Kurs in die nach ihm benannten Meeres=straße ein. Nach viertägiger Fahrt gewahrte er in 64° 15', der Gegend des heutigen Godthaab, wieder Land. Das Schiff ging daselbst im „Gilberts=Sund" vor Anker; man ging ans Land und vermochte sogar die Eingeborenen durch die Schiffsmusik anzulocken. Ueber diese erste Zusammen=kunft der grönländischen Eingeborenen mit Europäern am 29. Juli lasse ich die Worte aus John Janes Bericht (Mark=ham p. 7) folgen: „Wir ließen unsere Musikanten spielen, wir selbst tanzten und bekundeten durch Zeichen unsere gute Absicht. Schließlich kamen 10 Canoas (Kajaks) von der andern Insel; zwei kamen so nahe zur Küste, an der wir uns befanden, daß sie mit uns sprechen konnten, während die übrigen etwas zurückblieben. Ihre Stimme klang hohl und ihre Sprache konnten wir nicht verstehen. Durch arti=ges Benehmen suchten wir sie noch näher an uns heranzu=locken. Schließlich wies einer von ihnen mit der Hand auf die Sonne und schlug so sehr an seine Brust, daß wir den Schlag hörten. Dies tat er mehrere Male. Jetzt wurde John Ellis ausersehen, die Eingeborenen mit Aufbietung seiner ganzen Klugheit zutraulich zu machen. Er schlug an seine Brust und deutete auf die Sonne genau wie der Eskimo getan hatte. Als er das mehrmals wiederholt hat=te, kam einer ans Ufer. Wir zeigten uns sehr erfreut, lie=ßen die Musik spielen und tanzten. Abends entließen wir den Eskimo wieder und gingen zu unsern Schiffen zurück." — Am nächsten Tage kam eine Menge Grönländer. Die Engländer konnten von ihnen für Kleinigkeiten alles erhal=ten, was sie wünschten. Die Eskimo werden geschildert als lenksames Volk, ohne Verschlagenheit, das leicht zur Kul=tur und staatlichen Ordnung zu bringen sei. Am 31. Juli steuerte Davis an die Westseite der Davisstraße. Auf der Rückreise sah man am 10. September noch einmal das „Land of Desolation".

---

bent our course toward the South, with intention to double the land". Markham (p. 4, Anmerkung) meint, Davis' Land of De=solation müsse in der Nähe von Cap Discord (ca. 66° 50') gesucht werden.

Im Jahre 1586 landete Davis wieder im „Gilberts-
Sund",[1] wie im vorhergehenden Jahr. Die tief ins Land
eindringenden Fjorde wurden zum Teil untersucht. Am 4.
Juli machte Davis einen interessanten Fund: ein Grab mit
einem Kreuz, das vielleicht noch von der ehemaligen normannischen Bevölkerung herstammte. In diesem Jahr zeigten sich die Grönländer von einer weniger angenehmen
Seite, sie erwiesen sich als sehr diebisch; namentlich konnten sie dem Eisen nicht widerstehen. Einmal schleppten
sie einen ganzen Anker weg. Am 11. Juni nahm Davis
einen Eingeborenen weg, der aber nach einer Randbemer-
kung bald starb, und segelte ab. Am 1. August landete
Davis noch einmal an Grönlands Westküste in 66° 33' n.
Br., wo er bis 12. August verweilte.[2]

Von den vier Schiffen, die zur Expedition des Jahres
1586 ausgerüstet worden waren, hatte Davis in der Nähe
der Südspitze Grönlands zwei Schiffe abgesandt, die einen
Vorstoß entlang der Ostküste Grönlands machen und hier
die Möglichkeit einer Durchfahrt untersuchen sollten.[3] Die
beiden Schiffe segelten von Island in nordwestlicher Richtung; Grönland wurde am 7. Juli gesehen. Weil aber
eine Landung infolge des Eisbandes unmöglich war, segelte man der Küste entlang nach Süden, erreichte am 17.
Juli das Land „Desolation" und landete am 3. August
im Gilbertssund. Von hier trat dieser Teil der Expedition die Heimreise an. Unterwegs wurden die zwei Schiffe
von einander getrennt; von dem einen, dem „Northstar", hat
man nichts mehr erfahren; es ist wohl in der Nähe des
Kap Farewell mit der ganzen Besatzung gesunken.

Auf der Fahrt des Jahres 1587[4] suchte Davis auch
zuerst wieder die Gegend des Gilbertssundes auf, wo er
14. bis 21. Juli blieb. Dann segelte er längs der Küste
nordwärts, an der Insel Disko vorbei, bis 72° 12' n. Br.
Den nördlichsten Punkt nannte er „Hope Sanderson", das
Land, dessen Küste er vom 21.—30. Juli gefolgt war,
„London coast". Er fand die See offen gegen Norden und

---

1) Hacluyt III p. 103 f.; Markham, a. a. O. p. 15 f.
2) Von dieser Fahrt stammt auch das erste grönländische Wört-
verzeichnis, s. Markham p. 21; die ersten Wörter der Eskimosprache
hatte Frobisher von Meta incognita nach Europa gebracht.
3) Bericht des Henry Morgan Hacl. III 109 u. Markham p. 33 f.
4) John Janes Bericht Hacl. III 111 und Markham p 41 f.,
des Davis Traversbook Markham p. 52 ff.

Nordwesten. Von hier wandte er sich zur amerikanischen Küste.[1]).

Wenn wir Frobisher mit dem alten Gunnbjörn vergleichen können, weil er in neuerer Zeit zum erstenmal Grönland sah, so müssen wir Davis einen zweiten Erd nennen, insofern er zuerst weite Strecken der grönländischen Küste untersuchte. Von einzelnen Unterbrechungen abgesehen, haben die von ihm geleiteten Expeditionen die Westküste Grönlands bis 72⁰ 12' befahren. Durch Landungen an der Westküste war man auch mit den Eingeborenen zusammengekommen. Seine Entdeckungen hat Davis auf einer Karte fixiert, welche später Hall auf seinen Reisen benützte.[2]). Davis' Karte ist verloren gegangen; seine Einzeichnungen sind erhalten in Moltneus' Globus und in der von Wright hergestellten „Map of the World 1600."[3])

3. Hall.

Die Kunde von den Entdeckungen des Engländers Davis veranlaßten die dänische Regierung, eine ansehnliche Expedition nach Grönland auszurüsten. König Christian der Vierte nahm den Engländer James Hall, der vielleicht schon an Davis' Reisen teilgenommen hatte, in seine Dienste. Dieser unterstand als erster Pilot dem Leiter der Expedition, dem Schotten Cunningham, der das Admiralschiff „Trost" befehligte; das zweite Schiff, „Lyon", wurde geführt von dem Dänen Godske Lindenov; ein kleineres Fahrzeug, die „Katze", stand unter dem Befehl des Engländers John Knight.

Am 30. Mai 1605 [4]) sah man die Südspitze Grönlands in 59⁰ 50' und nannte sie Kap Christian. Es scheint

---

1) Pingel (GhM III 669) und Maurer (Zweite Deutsche Nordpolarfahrt I 253) nehmen an, Davis sei zum Schlusse nochmals zum Gilbertsfund zurückgekehrt, um mit den zum Fischfang ausgesandten Schiffen zusammenzutreffen. Allein nach den Berichten ist der Ort der verabredeten Zusammenkunft auf der amerikanischen Seite in ca. 51⁰ n. Br. zu suchen.

2) Steenstrup, Om Oesterbygden. Medd. IX p. 8 und Ymer 1886 p. 83.

3) Vgl. Note on the „new map" by C. H. Coote, Markham, l. c. p. LXXXV.

4) Ueber die Reise des Jahres 1605 gibt Purchas in His Pilgrimes, London 1625. III p. 814 ff. den verkürzten Bericht von

hier schon zu Meinungsverschiedenheiten gekommen zu sein zwischen den Engländern, die sich an Davis' Karte hielten, und den Dänen, die ihr Grönland nach ihrer Auslegung der alten Kursvorschriften weiter östlich suchten. Am 31. Mai erhielt Lindenov eine Seekarte und verpflichtete sich, beim Admiralschiff zu bleiben. Das Vorgebirge, das man am 2. Juni in 60° 18' (an der Südwestküste) sah, nannte man Kap Desolation. Am 11. Juni trennte sich Lindenov für immer von den Engländern. Bald gewahrte Lindenov Land; er landete[1]) und trieb mit den Eingeborenen Handel. Bevor man absegelte, nahm Lindenov zwei Eskimo gefangen, die er nach Kopenhagen schleppte. Schon am 28. Juli 1605 war der „Löwe" in Kopenhagen, wo Lindenov mit Ehren empfangen wurde. War doch zum erstenmal die Landung einer dänischen Expedition geglückt.

Auch die Engländer bekamen bald nach der Trennung von Lindenov Land in Sicht. Während das Admiralschiff im „King-Christian-Fjord"(=Itivdlek 66° 33') lag[2]) und dessen Besatzung mit den Eingeborenen Handel trieb, wobei es zu Feindseligkeiten kam, unternahm Hall vom 19. Juni bis zum 6. Juli auf dem kleinen Schiff eine Fahrt nach Norden; die Küste von 66°—69° n. Br. wurde untersucht und gezeichnet. Hall wäre noch weiter vorgedrungen, wenn nicht die Mannschaft gemurrt und ihn so zur Rückkehr gezwungen hätte. Am 10. Juli kam Hall wieder mit Cunningham, der einen etwas südlicher gelegenen Hafen aufgesucht hatte, zusammen. Drei gewaltsam ergriffene

---

Halls Tagebuch; das Manuskript Halls (Brit. Mus. M. S. bibl. Reg. 17 A. XXXXVIII. p. 261), das etwas ausführlicher ist als der Bericht Purchas' aber in allem Wesentlichen mit diesem übereinstimmt, stand Steenstrup (Medd. IX. p. 44 ff.) zur Verfügung; Steenstrup gibt auch die von Markham wiedergefundenen Karten Halls (Medd. IX Tafel 3 und 4) veröffentlicht. Ein Bericht der „Katze" ist G h M 679—686 gedruckt; über das Schiff Lindenovs besitzen wir nur die Angaben Lyschanders (Den grönlandske Chronica 674); vergl. G h M III 674; s. auch Jens Bjelkes Relation om Grönland, gl. kgl. Mss. Fol. 996.

1) Der Ort der Landung ist nicht zu bestimmen; jedenfalls ist dieser an der Westküste zu suchen. Vielleicht hat Lindenov zuvor eine Landung an der Ostküste oder in der Nähe der Südspitze ohne Erfolg versucht.

2) Vgl. die Ortsnamen und Breiten, die Steenstrup (Medd XI p. 46) aus Halls Manuskript veröffentlicht (Jensens Karte Meddl. Tafel V).

Eskimo mußten die Fahrt nach Kopenhagen mitmachen, wo man am 10. August glücklich ankam.

In Kopenhagen war man mit dem Ergebnis der Reise des Jahres 1605 zufrieden. Zudem hatte man ein Gestein gefunden, das man für silberhaltig hielt.[1]) Dieser Umstand mag be onders dazu beigetragen haben, daß schon im Jahre 1606 eine zweite dänische Expedition folgte;[2]) durch eine besondere Steuer[3]) sollten die Kosten derselben g deckt wer en Führer der Expedition war Lindenov; bei ihm be and sich auf dem Admiralschiff „Trost" der Engländer Hall. Fünf Fahrzeuge traten am 27. Mai 1606 die Reise an So glänzend die Fahrt begann, so kläglich endete sie. Nur zwei Schiffe kamen am 27. Juli in den „Cunning hamfjord" (67⁰ 38'); man suchte sogleich die „Silbermine" auf und belud die Schiffe mit dem vermeintlichen Erz. Im übrigen beschränkte man sich auf die nähere Untersuchung von Gegenden, die man schon 1605 kennen gelernt hatte, besonders des Cunninghams (67⁰ 38') und Romlesfjords (66⁰ 45'). Auch versäumte man nicht, fünf Eingeborene gewaltsam mitzuführen — Die übrigen Schiffe waren nicht zum Landen gekommen. Der Handel war in diesem Jahre weniger ergiebig, das „Silbererz" erwies sich zu Hause als völlig wertlos. Daher begnügte man sich, im Jahre 1607 ein einziges Fahrzeug unter Karsten Richardsen, dem Hall als Steuermann zur Seite stand, auszusenden. Nach seiner Instruktion[4]) sollte Richardsen im alten Eriksfjord (=Oesterbygd), der sich im Südwesten zwischen 60⁰ und 61⁰ ungefähr befinde, landen und dann die Ostküste Grönlands untersuchen[5]) Richardsen konnte wohl zwischen 60⁰ und 61⁰ wegen des Treibeises nicht landen, suchte an der Ostküste vorzudringen und machte hier einen vergeblichen Landungsversuch Ohne etwas ausgerichtet

---

1) G h M III. 685 Tagebuch der „Katze" (4. Juli) „ett bierrigh, kosteligh malm".
2) Purchas III. 821 ; das Tagebuch des Schiffes „Örn", das mit „Trost" landete, s. G h M III. 692 f.
3) Der Schatzbrief vom 1. April 1606 findet sich in Norske Rigsregistranter IV p. 138.
4) Instruktion vom 6. Mai 1607, s. Medd. IX p. 12.
5) Purchas III. 827 gibt an, auch von dieser Reise ein Tagebuch Halls besessen zu haben ; aber die dänische Mannschaft habe gemeutert und den Führer zur Rückkehr gezwungen, als man das Land in Sicht gehabt habe. — Lyschander, dessen Angaben ziemlich unbestimmt sind, ist der einzige Gewährsmann.

zu haken, lehrte er heim. Da man die alte normannische Kolonie anzutreffen hoffte, hatte man dieser Expedition Isländer und Norweger als Dolmetscher mitgegeben.

Mit der Expedition des Jahres 1607 beschloffen die Dänen für lange Zeit ihre Tätigkeit für die Wiederentdeckung Grönlands.

Gleichzeitig mit Halls dritter Reise (1607) unternahm Henry Hudson[1]) im Dienste der englischen „Muscovy-Company" seine Fahrt zum hohen Norden Er sollte eine Durchfahrt quer über den Pol nach China und Japan aufsuchen. Bei schlechtem Wetter segelte er an Island vorbei, ohne diese Insel zu sehen. Am 13 Juni sah er, wohl zwischen 68° und 69° n. Br. auf der Ostküste Grönlands Land, wo er dem „Youngs Cap" und dem „Mount of God's Mercy" Namen gab.[2]). In 73° zeigte sich ihm noch einmal Grönlands Küste, die er „Hold with Hope"[3]) nannte Hudson wurde so der Entdecker der Nordostküste Grönlands

Hall unternahm im Dienste englischer Kaufleute im Jahre 1612 eine vierte Reise nach Grönland.[4]). William Laffin machte als erster Steuermann die Fahrt mit. Nachdem Hall die Südspitze Grönlands passiert, das Kap Desolation gesehen und das in 62° 33' gesehene Land „Land of Comfort" genannt hatte, landete er am 27. Mai 1612 in ca 64° (in der Nähe von Davis' Gilbertssund oder dem heutigen Godthaab); im „Harbour of Hope" kamen die Schiffe vor Anker, die Inseln erhielten den Namen „Wilfefons Inseln", ein Berg wurde „Hountcliff" genannt. Während man mit den Eingeborenen Handel trieb, untersuchte Hall vom 28. Mai bis 1. Juni das Innere der

---

1) Purchas III. 567 f. Neudruck bei Asher, Henry Hudson the Navigator. London, Hacl. soc. 186?.
2) Asher, l. c. p. 3; Asher (p. CLXXXIV.) verlegt die beiden angegebenen Punkte in 67° 36'; allein dies ist die am 11. Juni gemessene Breite; die zwei folgenden Tage konnte man north north-west und north and by west weitersegeln; auch die Richtung der Küste („the northern part trended north east and by north and north-east") läßt eine etwa um 1° höhere Breite vermuten.
3) Asher, l. c. p. 6.
4) Purchas III. 835 : Purchas fängt erst mit dem 8. Juli seinen Bericht an ; derselbe wird ergänzt durch John Gatoneby's Tagebuch in Churchills Collection of Voyages and Travels 1732 VI. p 241 bis 251. Markham, The voyages of William Baffin, Hacl. soc. London 1881 vereinigt beide Berichte.

hier mündenden großen Fjorde; er berichte, zwei „river"
(=Fjorde) gefunden zu haben; den einen nannte er „Lon
caster River", den andern „Balls River".[1]) Auf der weiteren
Fahrt besuchte Hall den „Cockinssand" (65° 20') und den
schon erwähnten Kingsfjord (66° 25" = Itivdlek 66° 33"²).
Von hier wollte Hall mit einem kleineren Fahrzeug nord
wärts fahren, um die „Silbermine", die man bei den früheren Fahrten Halls entdeckt zu haben glaubte, aufzusuchen. Er mußte aber infolge ungünstigen Wetters in
ungefähr 67° landen, unglücklicherweise in der Gegend,
in welcher er 1606 fünf Eingeborene gewaltsam entführt
hatte. Während man mit den Eskimo handelte, wurde
Hall von einem derselben tödlich verwundet.[3]) Am 23.
Juli starb Hall und wurde auf den „Knights-Inseln"[4])
begraben. Die Mannschaft kam dann noch zur „Silbermine" im Cunninghamsfjord (67° 38'), wo man die Stellen
fand, an welchen die Dänen geschürft hatten. Man fand
einen glitzernden Stein; aber der Goldschmied James Car
lisle hielt ihn für wertlos. Nachdem Proben des ver
meintlichen Erzes ins Fahrzeug genommen waren, kehrte
man zum Kingsfjord und von da nach England zurück.

---

4. Baffin.

Wichtiger als Halls letzte Reise, an welcher auch Baf
fin teilnahm, ist Baffins zweite Reise 1616.[5]) Die Expe
dition wurde von der englischen Regierung ausgerüstet.
Anführer war Bileth (Bylot). Es gelang, die nach Baffin
genannte Bai im Nordwesten Grönlands bis 78° n. Br.
zu untersuchen. Am 30. Mai 1616 hatte die Expedition
schon den nördlichsten von Davis erreichten Punkt (Cape
Sanderson 72° 48') hinter sich. Die Inseln in 72° 45'
(=Gegend des jetzigen Upernivit in 72° 48') nannte man

---

1) Die Orte sind nach englischen Kaufleuten benannt; aus
„Balls River" ist später „Baals-Revier" entstanden, womit die
Gegend von Godthab bezeichnet wurde.
2) Die von Hall angegebenen Breiten sind um weniges zu
klein; s. Medd. IX. p. 46.
3) Hall scheint ein Opfer der Blutrache geworden zu sein.
4) Die Knights-Inseln haben in Halls Manuskript 65° 58' n.
Br. (Medd. IX. 46) und sind die von Jensen (Medd. II.) in ca. 67°
aufgeführten Ragssit-Inseln.
5) Markham, The voyages of William Baffin p. 138 f.

„Weiber Inseln" (Womens Islands), weil man dort Es-
kimoweibern begegne'e. Am 9 Juni versperrte in 74⁰ .'
". Br das Eis der Weg und zwang die Entdecker
bis zum 18 Juni sich im „Hornesund" aufzuhalten. Da
sich dann das Es in nordwestlicher Richtung öffne'e pas-
sirten Baffin und Bileh die Melville-Bai. Am 3. Ju'i
hatten sie Sir Dudley Digges Cape (76⁰ 8') in Sich;
auf der Saunders-Insel (76⁰ 35') fand sich kein Anter
grund, weshalb man in das Innere des Wolstenholme
Sundes eindrang. Am 4. Juli befand sich das Expe
ditionsschiff „Discovery" in einem Sun'e (77⁰ 30'), d n
man wegen der zahlreichen Wale „Walfischsund" nannte.
Im Smith Sunde maßen die kühnen Polarfahrer die
höchste Breite. 78⁰, und die größte damals bekann'e mag
netisch: Mißweisung, 56⁰. Baffin und Bileh segelten
dann der Westseite der Baffin-Bai entlang südwärts. Am
28 Juli befand sich das Schiff wieder im Cockinssund,
von wo am 6 August die Heimfahrt angetreten wurde. —
Volle zweihundert Jahre dauerte es, bis wieder ein Schiff
den Weg durch die Melvillebai fand

So hatten die Engländer das verschollene Grönland
wiederentdeckt und die ersten Schritte zur Erschließung des
Landes getan. Fast die ganze Westküste und einzelne
Punkte der Ostküste waren dadurch bekannt geworden; einzelne Teile der Westküste hatte man sogar zu kartieren versucht. Jetzt trat ein Stillstand in der Entdeckertätigkeit
der Engländer ein. Sie erscheinen in der Folgezeit nicht
als Entdecker, sondern als Walfischfänger im hohen
Norden.

B. Zeitalter der Dänen.
1. Das 17. Jahrhundert — Danell.

Wenig leistete für die Erschließung Grönlands das 17
Jahrhundert Von Seite der dänischen Regierung geschah
fast gar nichts, und Privatunternehmungen erreichten nicht
viel

Zwar scheint man sich 1619 mit neuen Grönlandpro
jekten getragen zu haben: in einem königlichen Schreiben
vom 20. April 1619[1]) wird J. Fries beauftragt, an

----

[1] Norske Rigs-Reg. V. p. 24.

Isand nach Leuten zu suchen, die an einer Grönlandreise teilnehmen wollten. Dabei ließ man es aber bewen-
den. Andere königliche Verordnungen zielten darauf ab,
den Dänen die Teilnahme am Walfischfang, der in Blüte
kam, zu erleichtern [1]; Fremden verbot man den Walfang
in der Näße der grönländischen Küste [2].

Die Reise des Jens Munk [3] zur Entdeckung einer Nord-
westpassage hatte, wenn sie auch durch die Ueberwinterung in arktischen Gebieten berühmt geworden ist, für
die Erschließung Grönlands keine Bedeutung; man sah
von Grönland nur das Kap Farewell.

Die im Jahre 1636 in Kopenhagen gegründete „Grönländische Kompagnie" schickte noch im gleichen Jahre [4] ein
Handelsschiff nach Grönland. Das Schiff wurde dort mit
glitzerndem Sande, den man für Goldsand hielt, beladen.
Derselbe war jedoch völlig wertlos.

Von größerer Bedeutung waren die Expeditionen David
Danells [5] in den Jahren 1652—54. Diese wurden ausge-

---

1) Ueber die Seepässe und Privilegien f. Norske Rigs Reg. IV.
p. 605, 607, 626, 631 ; VI. 345, 546, 644 : IX. 169, 180 ; XI. 419.
2) Norske Rigs-Reg. X. 157.
3) Jens Munk, Navigatio septentrionalis, Kopenhagen 1624 ;
Neudruck, besorgt von Lauridsen, Kopenhagen 1883.
4) Privilegien und Seepaß f. Norske Rigs-Reg. VII. 140 u. 266.
5) Danell ist wahrscheinlich ein Niederländer gewesen. Die
Niederländer betrieben schon seit Anfang des 17. Jahrhunderts
neben den Engländern und Basken die Fischerei zwischen Grönland
und Novaja-Semlja (vgl. Zorgdrager, Grönländische Fischerei und
Walfischfang, übersetzt von Moubach, Leipzig 1723 p. 250 l.) Dabei
kamen sie auch mit der Nordostküste Grönlands in Berührung ;
wenigstens nennen holländische Karten aus dem Ende des 17.
Jahrhunderts die Ostküste Grönlands zwischen 70° und 80° „Neu-
Grönland" und führen daselbst einzelne Punkte auf : „t-Land van
Broer Ruys opgedaen Anno 1655", die Insel „Bontekoe" „Baey
van Gale Hamkes opgedaen Anno 1654", „t-Land van Edam opgedaen Anno 1655", „t-Land van Lambert". — Auch im Südosten
scheinen die Holländer ans Land gekommen zu sein (vergl. H. Egede,
Det gamle Grönlands nye Perlustration, Kopenhagen 1741 p. 21) ;
bei der dänischen Ostgrönlandexpedition 1883/85 fand man ein
Steinzeichen bei Kap Mantzau (ca. 61½°), das nicht von Graah
stammt und vielleicht holländischen Ursprungs ist (f. Medd. IX.
179/180). — Die Tagebücher Danells sind verloren gegangen. Es
existiert aber davon handschriftlich (Gl. Kgl. Saml. 4° 2880 in Kphg.)
„Christian Lunds Udtog af Journalerne over tvende Grönlandske
Reiser under Rentemester Möllers Direktion 1652 og 1653, Samlet
og tilegnet Kong Frid. III. 1664", gewöhnlich „Lunds Indberetning" genannt. John Erichsen veröffentlichte (Kopenhagen 1787)
daraus den „Udtog af Christian Lunds Indberetning til Kong
Friderich den 3die af 28. Martii 1664". Außer den Karten, die

rüftet von dem dänischen Zollverwalter Henrik Möller (oder
Müller). Die Fahrt des Jahres 1652 ist die merk-
würdigste. Die zwei Schiffe „St. Peter" und „St. Jakob"
verließen am 8. Mai 1652 Kopenhagen und umsegelten
Island auf der Nordseite. Danell sah am 2. Juni die
Ostküste Grönlands. Die am 3. Juni gemessene Breite
war 64° 50"; „Hvidsadlen" und „Mastelöst Skib"[1] erhielten
Namen; bis zum 7. Juni kämpfte man mit dem Treibeis,
ohne landen zu können. Dann wandte sich Danell der
Küste entlang gegen Süden. Zwei weitere Versuche zu
landen, mißglückten. Da man nicht mehr hoffte, an der
Ostküste ans Land zu kommen, beschloß man, zur Westküste zu segeln. Am Kap Farewell hatte die Expedition
viel Ungemach durch Eis, Sturm und Unwetter auszu-
stehen. Land sah man erst wieder in der Nähe von Kap
Komfort. In ca. 63° kamen Grönländer ans Schiff und
handelten. Am 25. Juni ankerten die Schiffe in einem
Fjord in 65° 22', der Möllers Fjord genannt wurde. Da
aber die Eingeborenen nicht viel zum Handeln hatten,
wurde die Fahrt gegen Norden fortgesetzt. In der Nähe
eines hohen Berges (66° 30') fand man im „Dänemarks-
fjord" einen guten Ankerplatz, der Möllers Havn genannt
wurde. Von hier steuerte Danell wieder der Küste entlang
gegen Süden, an „Kv'nnefjord" (65° 36'), „Fiskers Bjerg",
„Möllers Havn", „Tvillingsbat" und Valls-Revier vorbei-
segelnd. Nochmals wurde die Ostküste anzulaufen versucht[2], wieder vergebens. Mitte September kam Danell
nach Dänemark zurück.

den beiden Werken beigegeben sind, vgl. die Karte in Joh. Mejers
„Nordischem Atlas" (Gl. Kgl. Sml. Fol. 709), aus welchem die
Grönlandkarten in Medd. IX., Tafel 5 und 6 gedruckt sind —.
Privilegien und Seepässe s. Norske Rigs-Reg. X. p. 417 und 420;
außerdem erhielt Möller ein Kgl. Schreiben, wodurch die isländischen
Bischöfe ersucht wurden, ihm jede nötige Mitteilung zu machen
(Kgl. Allernaadigste Forordninger og aabne Breve som til Island ere
udgivne etc., herausgegeben von Ketilsfon, Kphg. 1787, III. 48.)

1) Graah hat die von Danell gegebenen Ortsnamen auf seiner
Karte angebracht (vergl. Graah. Undersögelsereise, Kopenhg. 1832
p. 102 f. und Karte); Holm macht, gestützt auf Thorlacius'
Bemerkung, Danell habe nicht Gewißheit darüber gehabt, ob die
gesehenen Inseln (Hvidsadel und Mastelöst Skib) Land oder Eis
gewesen seien, und auf die Tatsache, daß Mejers Karte keine Inseln
anführt, wahrscheinlich, daß Heidsadel einen sattelförmigen schnee-
bedeckten Berg Grönlands darstelle (Medd. IX. 201 f.).

2) Holm (Medd. IX. 165) nannte den Fjord hinter der Insel
Jlnilek (in ca. 60° 55') nach seinem Entdecker Danells-Fjord.

Die Reise des Jahres 1653 unternahm Danell nur mit dem Schiff St. Jaleb Am 4. Mai erblickte man von 73⁰ n Br die Insel Jan Mayen Nach einem Aufenthalt auf Island steuerte Danell wieder gegen die Ostküste Grönlands Da auch in diesem Jahre das Treibeis keine Landung an der Ostküste Grönlands gestattet, segelte er wieder südwärts, um das Kap Farewell in die Davisstraße. In der Nähe des späteren Godthaab trieb man Handel mit den Eingebornen. Nordwärts fahrend, erreichten Danell in diesem Jahre auf der Westseite Grönlands die Breite 68⁰. Am 30. September kehrte er nach Kopenhagen zurück

Von der dritten Reise Danells im Jahre 1654 ist nur wenig bekannt. Danell segelte südlich Island, bis er Grönland sah; dann lief er in die Davisstraße ein und begab sich in der Nähe des Ballsreviers ans Fischen. Im ganzen verbrachte Danell drei Wochen an der Küste Grönlands Vier Grönländer führte er auf der Heimreise mit nach Dänemark.[1]

Die Reisen Danells sowie das unglückliche Ende der von Otto Axelsen geführten und von König Christian dem Fünften ausgerüsteten Expedition im Jahre 1671[2] an Grönlands Ostküste hatten die Unmöglichkeit gezeigt, an

1) Der Bericht, den sich König Friedrich III. von Dänemark über Danells Reisen von Lund 1664 erstatten ließ, sowie ein Schreiben, das den Bischof Erik Bredal in Throndheim aufforderte, alle auf Grönland, Vinland und Island bezüglichen Dokumente an die Königliche Kanzlei einzusenden (datiert vom 16 Juli 1664, f. Ketilsson, Kongelige Allernaadigste Forordninger III. 117), lassen vermuten, daß man unter Friedrich III. eine Expedition nach Grönland plante, aber nicht ausführte. — Ueber die von Danell 1654 nach Dänemark geführten Grönländer f. Clearius, Vermehrte neue Beschreibung der Muskowitischen und Persischen Reise, Schleswig 1656, p. 163 179. Noch siebzig Jahre später erzählten dem Missionär Hans Egede bei Godthaab alte Leute, die sich des Vorfalls erinnern konnten, den Hergang und konnten sogar die Namen der Weggeführten angeben (f. H. Egede, Beschreibung und Naturgeschichte von Grönland, deutsch von Krünig 1763, p. 58).

2) Von der Fahrt des Jahres 1670 kam Otto Axelsen wieder zurück, aber es ist nichts darüber bekannt gegeben worden. 1671 fuhr Axelsen aus, ohne zurückzukehren; er hat wohl mit der Besatzung im Eise Grönlands den Untergang gefunden. Ueber das Gerücht, das Schiff Axelsens sei von einem Holländer in den Grund gebohrt worden, vergl. Torfaeus, Grönlandia antiqua 1706 p. XXXVII. und G h M III. 726.

der Ostküste zu landen, weshalb jetzt lange Zeit weitere
darauf abzielende Versuche unterblieben. Der Gedanke
lag nahe, zuerst auf der Westseite des Landes festen Fuß
zu fassen und, von hier zu Lande vordringend, allmählich
die Südspitze und dann auch die Ostseite Grönlands zu
gewinnen.

2) Das 18. Jahrhundert.

Im 18. Jahrhundert holten die Dänen reichlich nach,
was sie in früheren Zeiten versäumt hatten. Es ist die
Zeit der Wiederbesiedelung und Christianisierung Grönlands.

a) Hans Egede.

Schon in den 70er Jahren des 17. Jahrhunderts war
von G. Thormöhlen, einem Bürger der Stadt Bergen,
eine Expedition nach Grönland ausgerüstet worden, die
eine dauernde Niederlassung auf Grönland zum Zwecke
hatte. Allein das mit Bauholz beladene und von Jan de
Brouers geführte Schiff wurde von einem Kaper nach
Dünkirchen gebracht, die Expedition unterblieb, und erst
nach fünfzig Jahren sollte durch Hans Egede, der sich
bleibend auf Grönland festsetzte, die Erschließung Grönlands in neue Bahnen kommen.

Der norwegische Prediger Hans Egede hatte in einer
Schrift gelesen, daß Grönland vormals von norwegischen
Kolonisten bewohnt gewesen sei und Klöster und Kirchen
gehabt habe. Er beklagte den Zustand dieser armen Leute,
die jetzt ohne Priester und Unterweisung seien, und seit
1709 beschäftigte ihn der Gedanke, Gott habe ihn dazu
bestimmt, diesen wieder das Evangelium zu predigen. Nach
langjährigen inneren Kämpfen legte er 1717 seine Pfarrei
zu Vaagen nieder und begab sich 1718 nach Bergen, um
an der Ausführung seines Planes zu arbeiten. Hier gelang es ihm 1721, einige Kaufleute zu einer grönländischen Handelsgesellschaft zu vereinigen. Mit einem Grund-
kapital von ungefähr 10 000 Reichstalern kaufte man ein
Schiff, „Hofnung (Haabet)" genannt, das in Grönland
überwintern sollte. Außerdem mietete die Gesellschaft noch
zwei kleinere Fahrzeuge, wovon das eine auf den Walfischfang ausgehen, das andere die Nachricht von der An-

tunft in Grönland nach Bergen zurückbringen sollte. Das zum Fang bestimmte Fahrzeug, das vorausgeschickt worden war, strandete an Grönlands Südkap und mußte entmastet nach Bergen zurückkehren. Am 12. Mai ging das Schiff „Haabet" mit dem zweiten kleinen Fahrzeug in die See. Am 1. Juni hatte man Kap Farewell erreicht; aber jetzt hatte man noch mit Eis und schlechtem Wetter zu kämpfen. Am 3. Juli erreichte Egede glücklich das Land, „nach welchem er so sehr gejauzt hatte". Auf einer kleinen Insel vor dem Balls=Revier, die man „Hoffnungsinsel (Haabets See)" nannte, wurde die Winterwohnung errichtet, den Platz nannte man Godthaab (=gute Hoffnung). Was Egede für die geographische Kenntnis Grönlands getan hat, ist ebenso hervorragend wie seine Wirksamkeit als Missionär. Die zwei ersten Jahre untersuchte er die Umgegend von Godthaab [1]) Unterdessen machte Kapitän Faester mit dem einen Fahrzeug einen vergeblichen Versuch, von der See aus die Ostküste zu erreichen.[2]) Am 30. Juli 1723 brachte ein Schiff die Nachricht von „des Königs Wille und Verlangen, daß man alle mögliche Anstalten zur Erforschung der Oesterbygd treffen möge." Hans Egede unternahm daraufhin noch im gleichen Jahre eine Reise gegen Süden, obwohl die Jahreszeit schon ziemlich vorgeschritten war. Er glaubte, der nächste Weg zur Oesterbygd führe durch die „Frobisherstraße." Am 9. August begab sich Egede mit zehn Mann und zwei Booten auf die Reise.[3]) Am 15. August hatte er die Stelle erreicht (62°), wo die Frobisherstraße in die Davisstraße münden sollte. Da sich hier eine tiefe Bucht fand, glaubte anfangs Egede, die Westmündung der Straße gefunden zu haben; aber die Eingeborenen, die oft in der Bucht jagten, belehrten ihn, daß man es nur mit einem Fjord zu tun hatte. Er setzte die Reise fort in der Absicht, das Kap Farewell zu umfahren. Allein er

---

1) S. die Karte des Balls-Revieres von H. Egede in „Omstaendelig Relation."

2) S. den von Steenstrup veröffentlichten Bericht (Medd. IX. 28 und 29). Faester kreuzte drei Monate längs der Ostküste Grönlands zwischen 60° und 61½°; oft sah man Land, aber nirgends war ein Zugang möglich.

3) H. Egede, Omstaendelig og udförlig Relation, angaaende den Grönlandske Missions Begyndelse og Fortsaettelse etc. Kopenhagen 1738 p. 100—119; auch das Vorangehende und Nachfolgende ist diesem Tagebuche Egedes (1721—36) entnommen.

mußte wegen mangelnder Ausrüstung und weil die Jah=
reszeit schon zu weit borgerückt war, am 26. August um=
kehren. Am 27. August wurde die Breite 60° 10′ gemessen.
Auf dem Rückwege besuchte Egede die Kirchenruine von
Kakortok. Am 13. September erreichte er wieder Godt=
haab. Durch Egedes Reise war nachgewiesen, daß d'e
seit fast 150 Jahren auf den Karten Grönlands auftretende
Frobisherstraße nicht vorhanden war. Außerdem hat e man
erfahren, daß alte Ruinen von „Kablunaks" (Weißen) nicht
nur bei Godthaab, sondern auch in der Nähe Sta'enhuks,
wie die Dänen das Kap Farewell nannten, sich fanden.

Um für die „Grönländische Kompagnie" Walfangplätze
ausfindig zu machen, fuhr Egede noch am 8. November
1723 zu den Pisugfik=Inseln (ca. 64° 40′) nördlich der
Kolonie Godthaab. Hier erfuhr er von den Eskimos, daß
die Insel Nepisene im Norden (ca. 66° 50′) ein guter
Fangplatz sei. Noch im Winter, am 22. Februar 1724,
trat er daher eine Reise nach Norden an. Allein er kam
nur bis 65° 15′, wo er vom 11.—16. März wegen des
schlechten Wetters bleiben mußte. Da die Mannschaft und
die Schaluppen zu einer Reise in die Diskobucht bestimmt
waren, trat Egede die Heimreise an, um nicht die Abfahrt
des Schiffes unnötigerweise zu verzögern. Dieses Schiff
verließ am 24. April 1724 die Kolonie und kam am 21.
Juni wieder zurück; es hatte nur einen einzigen Walfisch
gefangen. Ein anderes Schiff der Kompagnie legte auf
Nepisene eine zweite Kolonie an, wo während des Win=
ters die Besatzung mit dem Missionär Albert Top bleiben
sollte. Im Frühjahr 1725 reiste Egede selbst zur neuen
Kolonie, die er am 1. Mai erreichte. Zu seinem Leid=
wesen erfuhr er, daß man mit dem Walfang kein Glück
hatte. Bald nach seiner Rückkehr erzählten ihm die Grön=
länder, daß das auf Nepisene erbaute Haus, nachdem es
die Dänen verlassen hatten, von den Holländern, die in
Walfang und Tauschhandel mit den Dänen konkurrierten,
niedergebrannt worden sei.

Am 26. Mai 1727 brachte ein Schiff aus Dänemark
die Nachricht, daß die „Grönländische Kompagnie" in Ber=
gen wegen des schlechten Handels sich aufgelöst habe. Vor=
erst hatte die Regierung den grönländischen Handel auf
Staatskosten übernommen. Mit dem Schiffe war ein könig=
licher Kommissär gekommen, der untersuchen sollte, wie

man den Hande' am vor.eihaftesten betre.ben könn:. Das
Schiff untersuchte die Diskobucht zwischen 68° und 69°, um
e.nen Platz ur Err.chtung einer Fang= und Handels=
station dortselbst aus.indig zu machen. Auf Disko fand
man auch Kohlen. Für die Kolonie Egedes wurde ein
passenderer Platz auf dem Festlande, öst.ich der „Hoff=
nungs nsel". im Innern des Godthaabsfjords ge.ucht, wo=
h.n auch im nächsten Jahre die Kolonie wirklich verlegt
wurde.

Nach der Rückkehr des Kommissärs nach Dänemark
beschloß die dänische Regierung, die Kolonisierung Grön=
lands in großem Maßstab durchzuführen. Im Jahre 1728
gingen zwei Kriegsschiffe und zwei Transportschiffe nach
Grön'and. Es sollte nach dem Willen des Königs Fried=
rich des Vierten in Grönland ein Fort errichtet werden
an der Stelle, wo die Kolonie Neptjene von den Hollän=
dern niedergebrannt worden war. In Major Paars sollte
Grönland einen Gouverneur erhalten. Offiziere, Solda=
ten und entlassene Zuchthaussträflinge sollen den Grund=
stock zur neuen Kolonie geben. Zur See sollte ein Schiff
an der Ostküste zu landen versuchen, während gleichzeitig
mit elf Pferden, die zu diesem Zwecke mitgenommen wur=
den, ein kühner Entdeckungsritt quer über das Inlandeis
zur „Oesterbygd" ausgeführt werden sollte. Allein das
Unternehmen erwies sich als gänzlich verfehlt. Die Expe=
dition landete am 1. Juli bei Godthaab. Hier verweilte
man bis 1729 und war behilflich bei der Verlegung der
Kolonie. Die Pferde gingen zugrunde, ehe man an ihre
Verwendung denken konnte. Von der Mannschaft, die am
Skorbut darniederlag starben viele. Bei der zum Teil
recht zweifelhaften Kolonisationsgesellschaft entstand Auf=
ruhr und Meuterei. Paars überzeugte sich bei einem Aus=
flug, den er im Frühjahr 1729 im Ameralikfjord unter=
nahm, und den er bis zur Grenze des Inlandeises aus=
dehnte, von der Unmöglichkeit, von hier zur Ostküste zu
ge'angen. Im Sommer verließen die Soldaten Godthaab,
um auf Neptsene das Fort zu erbauen, wohl zur Freude
Egedes; denn ihr zügelloses Leben hatte bei den Einge=
borenen nur Aergernis erregt. Leutnant Richard suchte
vergebens auf der Heimreise die Ostküste anzulaufen. Im
September des Jahres 1730 brachte ein Schiff Bauholz,
woraus Häuser für isländische Familien gebaut werden

sollten, die im nächsten Jahr sich auf Grönland ansiedeln wollten. Da brachte der Regierungswechsel in Dänemark einen gewaltigen Umschwung.

Als im Jahre 1730 auf Friedrich den Vierten Christian der Sechste folgte, schien die ganze Arbeit Egedes mit einem Male gefährdet. Christian der Sechste wollte Grönland vollständig aufgeben. Am 19. Juni 1731 brachte ein Schiff den Befehl des Königs, alle Europäer sollten die Kolonien verlassen, da diese zu viele Kosten verursachten. Egede wurde es freigestellt, heimzukehren oder zu bleiben. Jedenfalls könne er keine weitere Unterstützung von der Regierung erwarten. Die Kolonie auf Nepisene wurde vollständig verlassen und auch bald nachher von den Holländern zum zweitenmal niedergebrannt. Auf Gotthaab blieben nur Egede mit seiner Familie und ungefähr zehn Matrosen, die sich ihm freiwillig anschlossen. Mit Hilfe seines jüngeren Sohnes Nils[1] brachte Egede den Handel in Grönland in lebhafteren Gang, und so konnte man dem Schiffe, das auf Egedes inständige Bitten von König Christian dem Sechsten 1732 mit Vorräten nach Grönland kam, eine gute Ladung auf den Heimweg mitgeben. Mit dem Schiff war auch ein gewisser Mathias Jochimsen gekommen, der zum Zwecke mineralogischer Untersuchung Grönland bereisen und nebenbei versuchen sollte, zur „Oesterbygd" zu kommen.[2] Ein zweites Schiff brachte 1732 die Kunde, daß der König jährlich 2000 Reichstaler zur Erhaltung der Mission auszahlen lasse, und daß der Handel fortgesetzt werden solle. Mit demselben Schiff kamen

---

1) Nils Egede, geb. 1710, gest. 1782, wurde Kaufmann und verfaßte die „Tredie Continuation af Relationerne, betraeffenden Grönlandske Missions Tilstand og Beskaffenhed", Kopenhagen 1744, enthaltend ein von ihm in Grönland 1739--48 geführtes Tagebuch.

2) Ledenborgsche Handschriftsammlung 4° 337; ein Schreiben Jochimsens aus Grönland 1732, gerichtet an Geheimrat Löwenörn ist von Pontoppidan mitgeteilt in Minerva 1788 p. 18—78. — Jochimsen hat weder die eine noch die andere ihm gestellte Aufgabe gelöst. Im Jahre 1733 machte er am 20. März einen Versuch, die „Oesterbygd" zu entdecken (Egede, Relation p. 338); allein er konnte nur bis ungefähr 61° — nicht so weit wie H. Egede 1723 — vordringen und kam am 8. Juni, ohne viel ausgerichtet zu haben, nach Godthaab zurück, um sich am 18. Juni nach Dänemark einzuschiffen.

auch drei mährische Brüder, die in der Nähe von Godthaab die Mission Neu-Herrenhut anlegten.[1])

1734 wurde der grönländische Handel dem Kaufmann Jakob Severin übertragen. Gegen einen jährlichen Staatszuschuß übernahm er die Aussendung der Schiffe und die Unterhaltung der Mission. Bis 1750 lag der Handel Grönlands in seinen Händen. Wenn er auch keine Entdeckungsreisen veranlaßte, so wurden doch durch neue Handelsniederlassungen manche Teile Grönlands besser bekannt. Es wurden angelegt: Christianshaab (1734), Jakobshavn (1741), Frederikshaab (1742).

Im Jahre 1734 kam auch Paul Egede[2]), Hans Egedes ältester Sohn, nach Beendigung seiner theologischen Studien in Godthaab an und übernahm bis 1740 die grönländische Mission. Hans Egede lehrte nach fünfzehnjähriger sorgenvoller und beschwerlicher Arbeit 1736 nach Kopenhagen zurück. Er wurde hier Lehrer in dem „grönländischen Seminar"; seit 1740 führte er den Bischofstitel; er starb 1758[3]). Sein rastloser Eifer hat Grönland zum Wiederaufblühen gebracht.

---

1) D. Cranz, Historie von Grönland, enthaltend die Beschreibung des Landes ꝛc., insbesondere die Geschichte der dortigen Mission der evangelischen Brüder zu Neu-Herrenhut u. Lichtenfels. Barby 1765.

2) Paul Egede, geb. 1708; 1734—40 grönländischer Missionär, wirkte zuerst in Godthaab, später in Christianshaab; 1740 ging er nach Dänemark zurück, wurde 1761 Professor und 1779 Bischof über die grönländische Mission; er starb 1789. Seine Schriften: Continuation of Relationerne, betraeffende den Grönlandske Missions Tilstand og Beskaffenhed, Kopenhagen 1740 (Tagebuch 1734—40) mit einer Karte Grönlands und der Diskobucht; Etterretninger om Grönland, uddragne af en Journal, holden fra 1721—88. Med Kaart over Grönland; den östre Side etter Torfaeus, den vestre Side aflagt og forbedret i Sammenligning med de senere Etterretninger, Kiöbenhavn 1788, deutsch 1790; Om Grönlands Oesterbojds Opdagelses Mulighed, Minerva 1786 I. 274. Außerdem zwei grönländische Wörterbücher.

3) Außer der schon angeführten Relation besitzen wir von Hans Egede folgende Schriften: Det gamle Grönlands nye Perlustration eller Natur-Historie og Beskrivelse over det gamle Grönlands Situation, Luft, Temperament og Beskaffenhed etc., Kopenhagen 1741, deutsch von Krünitz unter dem Titel: Herrn Hans Egede, Missionärs und Bischofs in Grönland, Beschreibung und Naturgeschichte von Grönland, Berlin 1763; schon 1729 war ohne Egedes Wissen eine Auflage erschienen: Det gamle Grönlands nye Perlustration etc, Kopenhagen 1729, deutsch 1730 in Frankfurt: „Des alten Grönland neue Perlustration."

b) Peter Olsen Wallöe und Lars Dalager.

Von 1750 bis 1774 unterhielt die „Allmindelige Handelskompagnie" die Schiffahrt nach Grönland und sorgte für die dortige Mission. Während dieser Zeit wurden folgende Kolonien auf der Westseite Grönlands angelegt: Claushavn (1752), Fiskernaes (1754), Sukkertoppen (1755), Ritenbenk (1755), Sydbah (1756), Norsoak (1758), Holstenborg (1759), Egedesminde (1759), Upernivik (1711), Godhavn (1773).[1]).

Nach langer Pause wurde auf Veranlassung der „Allgemeinen Handelskompagnie" wieder ein Vorstoß gegen die bis dahin völlig unbezwingbare Ostfeste gemacht. Peder Olsen Wallöe erhielt 1751 den Auftrag, die südlichen Teile der Westküste Grönlands zu untersuchen und um das Kap Farewell herum an die Ostküste vorzudringen, wo man immer noch die alte Oesterbygd anzutreffen hoffte. Trotzdem die Südländer als Menschenfresser verschrieen waren, unternahm der kühne Mann das Wagnis[2]).

Am 6. August 1751 trat Wallöe in einem Weiberboot der Eskimo mit wenigen Begleitern die Reise an. Nach einer kurzen Rast in Frederikshaab erreichte er am 9. September die Mündung des Tunugdliarfikfjords (ca. 60° 40'), den er vom 10.—30. September untersuchte. Im Igalikofjord, in der Nähe der später angelegten Kolonie Julianehaab, überwinterte er. Im Frühjahr 1752 brach er von hier auf. Am Agdluitsokfjord (60° 30'), den er am 21. April erreichte, traf er die ersten Südländer von der Ostküste; diese erzählten ihm, daß die Ostküste fast ganz mit Eis bedeckt sei; nur einzelne Vorberge und Inseln

---

1) Paul Egede, Nachrichten p. 271 f.; vergl. auch Hans Egede Saabye, Bruchstücke eines Tagebuches, gehalten in Grönland in den Jahren 1770—78; 1816, deutsch v. G. Fries, Hamburg 1817 p. LVIII.—LXV.

2) Das von Wallöe geführte Tagebuch befindet sich in Kopenhagen, N Kgl. S. 4° 1976c; ein Auszug daraus wurde von Otto Fabricius veröffentlicht: „Udtog af en Dagbog, holden i Aarene 1751—52 af Handelsbetjent Peder Olsen paa en Reise i Grönland, som han foretog sig til at undersöge de sydligste Egne af Landet, indtil 15 Mile Oesten for Statenhuk, Samleren, Kopenhagen 1787, 1 p. 97 ff.; ferner handschriftlich: Peder Olsen, Reiser i Grönland 1748—52 (Bibliothek der Marine): P. O. Wollöe: Beretning om et Ophold i Grönland. Frederikshaab 1753 (B. U. H. Add. 487,4°); außerdem N. Kgl. S. 4° 1970, 1971, 1976 d.

seien eisfrei; es gebe dort keine den Europäern ähnliche Bewohner; auch stammten die Bauten auf der Ostküste nur von den Eskimo her. Sie versicherten ihm, daß sie keine Kannibalen seien. Da im Sommer ungefähr 400 Ostländer am Agdluitsokfjord fischten, schloß Wallöe sich diesen an, um mit ihnen zur Ostküste zu gelangen. Solange der Fischfang währte, bereiste er das Innere des Fjordes und fand auch hier eine Anzahl Ruinen. Er bestieg einige Berge in der Nähe des Inlandeises, konnte aber nicht bis zum jenseitigen Rande des mächtigen Eispanzers sehen. Am 27. Juni verließ Wallöe mit den Ostländern diesen Fjord. Im Unartokfjord fand er neben normannischen Ruinen die warmen Quellen auf der Insel Unartok[1]). Er kam dann an Sermersok und Nanortalik vorbei. Am 30. Juni passierte er Igaleit, das man für das alte Herjolfsnaes hält. Den weiteren Weg nahm er zwischen den Inseln hindurch, in welche Südgrönland aufgelöst ist[2]). Am 6. Juli hatte er die Ostküste erreicht. Hier arbeitete er sich in beständigem Kampfe mit dem Treibeis lang am bis zur Insel Nenese durch, die nach seiner Angabe in 60° 56′ n. Br.[3]) liegt. Da die beiden Europäer, welche die Expedition mitmachten, sich weigerten, noch weiter zu folgen, mußte Wallöe sich zur Rückkehr entschließen. Der mühsame Weg mußte unter Entbehrungen nochmals zurückgelegt und im Agdluitsokfjord zum zweiten Male überwintert werden. Wallöe litt hier viel durch Hunger und Kälte. Erst am 15. Juni 1753 erreichte man wieder Frederikshaab. Wallöe war der erste Europäer, der in neuerer Zeit die Ostküste Grönlands betrat. Dem verdienten Manne wurde aber schlecht gelohnt. Als Otto Fabricius

---

1) Hans Egede (Relation p. 18) hatte 1723 von diesen warmen Quellen gehört, konnte sie aber nicht besuchen, da er wegen der späten Jahreszeit seine Reise nicht verzögern durfte. Schon Ivar Baardsön berichtet von warmen Quellen; diese Bemerkung Ivars wurde besonders wichtig bei der Bestimmung der alten Fjorde; Medd XX. p. 284 und 287.

2) Wallöe machte den Weg, den 1883 Nordenskiöld beabsichtigt hatte, aber wegen des Eises nicht einhalten konnte, — durch Ikek; s. Nordenskiöld, Grönland p. 370.

3) Schon Graah (Undersögelsesreise p. 71) hielt die Breite 60° 56′ für zu hoch und suchte Wallöes nördlichsten Punkt auf der Halbinsel Nennetfuk (60° 28′); Holm (Medd. IX. p. 162) berichtigt ies insofern, als Wallöe zuletzt nicht auf dieser Halbinsel, sondern auf der unmittelbar östlich gelegenen Insel Sagdlia (60° 28′) sein Zelt hatte.

1787 den Auszug aus Wallöes Tagebuch veröffentlichte, entdeckte er, daß Wallöe in Not und Elend zu Kopenhagen lebte. Da die Regierung auch jetzt nichts für den verdienstvollen alten Mann tat, verschaffte ihm Bischof Paul Egede einen Platz im Spitale Bartov, wo er 1793 im Alter von 77 Jahren starb.

Im nämlichen Jahre, in welchem Wallöe seine kühne Reise unternahm, legte der Kaufmann Lars Dalager zum erstenmale eine Strecke auf dem grönländischen Inlandeise zurück.[1]). Ein Eingeborener hatte behauptet, südlich des Eisblinks von Frederikshaab (ca. 62½°) so hoch gekommen zu sein, daß er die Felsen auf der Ostseite des Landes deutlich habe sehen können. Dalager wollte daher eine Reise über das Eisgebirge zur „Oesterbygd" machen. Unter Führung jenes Grönländers trat er am 2. September 1751 die Reise an. Am 3. September war man am Fuße des Eiswalles angelangt, und am 4. September begann die Wanderung über das zusammenhängende Eisfeld. Während am ersten Tage das Eis glatt und eben und daher leicht zu begehen war, so daß man bald zur nächsten aus dem Eise herausragenden, etwa eine Meile entfernten Bergspitze[2]) kam, zeigten sich am 5. September große Unebenheiten und eine Menge Spalten, so daß zu einem Weg von einer Meile sieben volle Stunden nötig waren. Die Spitze des jetzt gewonnenen Berges wurde bestiegen und von hier Umschau gehalten. Dalager mußte, da er nur mangelhaft ausgerüstet war, am 6. September wieder zurückkehren. Erst 1860 sollte auf diesen ersten Versuch einer Eiswanderung ein zweiter folgen.[3]).

---

1) Lars Dalager, Grönlandske Relationer: Indeholdende Grönlaendernes Liv og Levnet etc. Kopenhagen 1752, p. 92—100; vergl. Nordenskiöld, Grönland p. 116 ff.

2) Die aus dem Eise ragenden Bergspitzen nennen die Eskimo „Nunatak"; das Inlandeis beim Eisblink von Frederikshaab ist reich an solchen; vergl. die aus Medd. I. von Nordenskiöld (Grönland p. 161) wiedergegebene Karte. — Jensen, Kornerup und Groth unternahmen hier 1878 eine Expedition über das Inlandeis; Medd. I, 51 f.; vergl. Nordenskiöld, Grönland p. 149 f.

3) Diese wurde ausgeführt, von Whymper und Brown, s. Nordenskiöld, l. c. p. 119; Nordenskiöld gibt hier p. 114-124 eine Uebersicht der Eiswanderungen bis 1883.

c) Löwenörn, Ch. Thestrup Egede und Rothe.

Seit 1774 wird bis zur Gegenwart der Handel mit Grönland wieder von der dänischen Regierung auf königliche Rechnung unter dem Namen „Grönländischer Handel" geführt, da der Betrieb unter der „Allgemeinen Handelsgesellschaft" allmählich in Verfall geraten war Im Jahre 1775 wurde die Kolonie Julianehaab in Südwestgrönland errichtet (60° 43') und 1776 zur Missionsstation erhoben. Die mährischen Brüder hatten schon 1774 noch etwas [südlicher (60° 31') die Missionsstation Lichtenau eingerichtet. 1782 erfolgte die Einteilung Westgrönlands in ein nördliches und südliches Inspektorat[1]).

Die von Wallce begonnene Untersuchung der Ruinen, auf die schon Egede aufmerksam gemacht hatte, führte E. Thorhallesen[2]) für den Godthaabdistrikt, Arctander[3]) und Bruhn für den Julianehaabdistrikt fort.

1777 wurden zehn Fahrzeuge, die zum Wal- und Robbenfang ausgezogen waren, in der Höhe von Spitzbergen vom Eise so eingeschlossen, daß sie nicht mehr daraus entkommen konnten. Von der Strömung wurden sie an die Ostküste Grönlands getrieben und in südwärts treibendem Eise nach einander zertrümmert. Von der ganzen Mannschaft retteten sich nur dreizehn Personen, die auf Eisschollen die Südspitze Grönlands erreichten, hier von den Eskimo aufgenommen und zu den europäischen Kolonien geleitet[4]). Wenn auch für die Erschließung Grönlands diese unfreiwillige Fahrt längst der Ostküste, die ein Seitenstück in dem Schicksal der Hansa = Männer auf der zweiten deutschen Nordpolarfahrt 1869—70 hat, nicht von großer Bedeutung war, so konnten doch die Er-

---

1) Vergl. Paul Egede, Nachrichten von Grönland (Kopenhagen 1790) p. 308.

2) Thorhallesen, Etterretning om Radera eller Levninger af de gamle Nordmaends og Jslaenderes Bygninger paa Grönlands Vesterside, tilligemed et Anhang om deres Undergang sammeteds. Kopenhagen 1776

3) Udskrift at en Dagbog, holden i Grönland af Aaron Arctander paa en Recognoscerings Reise i Julianehaabs Distrikt i Aarene 1777—79, herausgegeben von H. P. v. Eggers, Samleren, Kopenhagen 1793 p. 1103—1242.

4) Vergl. Wahrhafte Nachricht von den im Jahre 1777 auf Walfischfang nach Grönland abgegangenen und daselbst verunglückten fünf Hamburger Schiffen, gezogen aus dem Journal des Küpers Jürgen Röper auf dem Schiffe genannt Clara Cecilia. Kommandeur Hans Pieters-Altona 1778.

zählungen der Ueberlebenden manches zur Kenntnis der Eisverhältnisse im ostgrönländischen Meere beitragen.

Bischof Paul Egede, der fein ganzes Leben eine Expedition an die Ostküste Grönlands zur Entdeckung der „Oesterbygd" eifrig, lange Zeit allerdings vergebens betrieben hatte, sollte noch im Alter die Freude erleben, seinen Herzenswunsch in Erfüllung gehen zu sehen. Im Dezember 1785 bewilligte die dänische Regierung 12000 Reichstaler zu einem neuen Versuch, die Ostküste Grönlands zur See anzulaufen. Unter Führung Löwenörns gingen im Frühjahr 1786 zwei Schiffe, „Schimmelmann" und „Nye Pröve", in die See[1]. Am 3. Juli erblickte man Land — einen hohen Berg zeichnete Löwenörn in 65⁰ 45' auf seiner Karte ein —, aber die Eisverhältnisse waren so ungünstig, daß Löwenörn bald beschloß, einen isländischen Hafen aufzusuchen. Nach einem nochmaligen vergeblichen Veefuch, Grönlands Ostküste nahezukommen, übergab Löwenörn am 1. August seiner Instruktion gemäß den beiden Leutnants Chr. Thestrup Egede[2], dem Sohne Paul Egedes, und C. Rothe, einem Verwandten Egedes, das Kommando über das kleinere Schiff. Diese sollten versuchen, an die Ostküste Grönlands zu kommen, spätestens aber im Herbst 1787 nach Dänemark zurückzukehren. Mit dem größeren Schiff verließ Löwenörn am 8. August 1786 Island, um nach Kopenhagen zu segeln.

Noch am gleichen Tage (8. August) wagten Egede und Rothe den ersten Versuch. Am 16. August sahen sie Land in 65⁰ 24' 17". Da sie aber nirgends eine Oeffnung im Eisband fanden, steuerten sie südwärts und bekamen am 20. August wieder Land zu sehen (64⁰ 58' 53"). Obgleich sie mehrere Tage dem Eis entlang segelten, wobei sie oft Gefahr liefen, eingeschlossen zu werden, ge-

---

1) Der von Löwenörn verfaßte Bericht befindet sich in Kopenhagen, N. KgL Saml. 4⁰ 1975 und 1976; 1828 veröffentlichte Löwenörn den Extrait de la Relation d' un voyage pendant l'année 1786 2c. Paris, der 1825 auch in der geogr. Zeitschr. Hertha, 3. Bd. p. 684—732 erschien.

2) C. Thestrup Egede, Reisebeskrivelse til Oester-Grönlands Opdagelse, foretaget i Aarene 1786 og 1787. 1 Kaart, 4 Landtoninger, Kpbg. 1789 und 1790. — Die Väter der beiden Offiziere veröffentlichten 1786 Udtog af Breve fra de Kongens Söe-Officerer, der ere beordrede til at oplede gamle Grönland, Kophg.; Abbruck aus Minerva Oktober 1786 p. 519 f.; vgl. Paul Egede, Nachrichten p. 822.

lang es ihnen doch nirgends, eine Stelle zu finden, wo
das Packeis zu bewältigen gewesen wäre. Als das Wetter schlechter wurde, suchten sie wieder Island auf, um
dort zu überwintern. Von den gesehenen Küstenstrecken
hatte man Zeichnungen gefertigt. — Da das Schiff im
Jahre 1787 beim ersten Vorstoß gegen Grönland ein Leck
bekam, mußte es wieder nach Island gebracht und dort
ausgebessert werden. Als ein von Egede verlangtes kleineres Schiff ankam, erhielt Rothe den Oberbefehl über
das Schiff „Nye Pröve", während Egede sich auf das
Begleitschiff begab. Am 8. Mai liefen beide Schiffe aus,
am 17. erblickte man Land in 65⁰ 54' 18", das aufgenommen wurde. Mit knapper Not entkam man aus einer
Eisbucht, deren Mündung durch eine Eistrift verschlossen
wurde. Noch dreimal liefen die Schiffe während des Som-
mers 1787 von Island aus, ohne daß man auch nur
noch einmal die Küste Grönlands gesichtet hätte. Am 9.
Oktober traten Egede und Rothe die Heimreise an.

Wiederum war es nicht gelungen, an die Ostküste
Grönlands zu landen. Das Tagebuch Wallöes, das während dieser Expedition veröffentlicht wurde, ließ zudem
bezweifeln, ob die Oesterbygd der alten Normannen auf
der Ostküste Grönlands zu suchen sei. Da erschien Eggers'
Preisschrift 1793[1], worin der Satz, daß die Oesterbygd in
den Ruinen von Julianehaab an der Südwestküste schon
längst entdeckt sei, fast bis zur Gewißheit erwiesen wurde.
Die Folge war, daß man in der nächsten Zeit von eigent-
lichen Entdeckungsfahrten abließ und sich auf die einge-
hende Durchforschung der Westküste verlegte.

C. Der Anfang des 19. Jahrhunderts.
1. Giesecke.

Die wichtigste wissenschaftliche Reise zu Anfang des
19. Jahrhunderts ist die von dem Deutschen Giesecke 1806
bis 1813 ausgeführte. Giesecke[2] hatte ein wechselvolles
Leben hinter sich, als er diese Reise antrat. Geboren

---

1) v. Eggers, Om Grönlands Oesterbygds sande Beliggenhed,
Kopenhagen 1793; deutsch: Ueber die wahre Lage des alten Ostgrönlands", Kiel 1794.
2) Giesecks Lebensbeschreibung f. Johnstrup, Gieseckes mineralogiske Reise i Grönland, Kphg. 1878, Einleitung.

1761 (oder 1775) in Augsburg als Sohn eines wohl=
habenden Schneiders namens Meyler, studierte er zuerst
die Rechte an der Universität Altdorf in Bayern; bald
wandte er sich der Literatur und dem Theater zu. Er
nahm den Namen Giesecke an und trat in Wien seit 1790
als Schauspieler auf. 1804 verließ er Wien und widmete
sich den Naturwissenschaften, besonders dem Studium der
Mineralogie. Besonderes Geschicke zeigte er als Minera=
liensammler. 1805 wurde er von der Färöischen Handels=
kommission in Kopenhagen beauftragt, die Färöer zu unter=
suchen, von wo er auch reiche Sammlungen nach Däne=
mark brachte. Die auf Rechnung[1]) des „Grönländischen
Handels“ zur mineralogischen Untersuchung Grönlands un=
ternommene Reise sollte ursprünglich nur 2¼ Jahre dauern
Als aber Giesecke erfuhr, daß die Sammlungen, die er
1807 hatte nach Dänemark abgehen lassen, von den Eng=
ländern abgefangen waren, entschloß er sich, noch ein wei=
teres Jahr zu bleiben und den Verlust durch neue Samm=
lungen zu ersetzen. Und da infolge der europäischen
Kriegswirren die direkte Verbindung mit Dänemark un=
möglich war, verschob sich seine Heimreise bis zum Jahr
1813.

Im ersten Jahre bereiste Giesecke Südgrönland, die
Distrikte Frederikshaab und Julianehaab. Er drang über
das Kap Farewell vor und kam auf der Ostküste bis zur
Insel Aluk (60° 8'). Am 2. August, dem Tage der Um=
kehr, schrieb er in sein Tagebuch:[2])

„Weil ich früh morgens bemerkte, daß der Wind das
Eis aus der See gegen die Buchten und Fjorde trieb und
also Ursache zu befürchten hatte, daß uns der Rückzug
nach Nanortalik abgeschnitten werden möchte, so hielt ich
es für das Klügste, meinen Vorsatz, weiter östlich vorzu=
dringen, fahren zu lassen und umzukehren; um so mehr,
da es für eine beträchtliche Reise vorwärts nach Osten
schon zu spät im Jahre war, und ich eben keine Lust
hatte, mein oder der Grönländer Leben mutwillig aufs
Spiel zu setzen, welche schon bange zu werden anfingen
Ueberdies gebrach es unsern Lampen an Oel und unsern

---

1) Das Begleitschreiben der Kgl. Handelsdirektion vom 16.
April 1806 s. bei Johnstrup, l. c., p. X. f.

2) Johnstrup, l. c., p. 21.

Mäulern an Proviant. Doch bin ich der Meinung, daß
es sehr wohl möglich wäre, mit Walberbooten, besetzt mit
Nationalvolk, welches seinen Magen weit leichter als ein
Europäer befriedigen kann, dicht unter dem Lande eine
beträchtliche Reise nach der Ostseite zu machen, doch könnte
man hiezu niemals die Zeit der Hin- und Rückreise gerade auf einen Sommer oder ein Jahr einschränken Un-
widersprechlich ist es, daß die Südländer nach Osten
reisen können, ferner, daß die Ostländer von Zeit zu Zeit
nach Südwest, wenigstens bis in die Gegend kommen, wo
ich war. Ob es das Ungemach lohnen würde, getraue ich
mich nicht so geradezu zu behaupten, noch weniger, daß
man das gehoffte, gepriesene Land finden würde, wo Milch
und Honig immer fließt; dazu zeigen sich keine Vorzeichen.
Ich muß im Gegenteil aufrichtig gestehen, daß ich auf
meiner Reise das Land um nichts besser, ja wohl gar,
besonders hinter Statenhuk, schlechter gefunden habe. Besonders die düsteren, schmalen Pässe auf der himmelblauen
See, zwischen himmelhohen, senkrechten, schwarz bemoosten
Felswänden, erregen ein schauerliches Gefühl und erinnern, durch das stete Prasseln und Krachen der fernen Eisberge vermehrt, an den Orkus der Alten. Ich habe über-
haupt ziemlich einerlei Gedanken mit Herrn Justizrat von
Eggers und außerdem so allerlei andere Ideen von Oesterbygden, verlorenen und erschlagenen Normännern 2c., welche
nun hier zu erörtern zu weitläufig wäre. Daß ich umzukehren, d. h. zurückzureisen, woher ich kam, beschlossen
hatte, habe ich schon oben gemeldet, und es war auch
wirklich die höchste Zeit; denn das Eis drückte sich von
allen Seiten und mit aller Macht so zwischen die Inseln
und das feste Land, daß wir in forcierten Tagereisen zu-
rückeilen mußten."

Im Jahre 1807 besuchte Giesecke das nördlich Godthaab gelegene Westgrönland Er kam mit einem Walber-
boot (Umiak) bis Tasiusak (ca. 73° 25') und machte von
hier noch einen Ausflug gegen Norden bis zum „Nördlichen Eisblink".[1]. Nach weiteren Ausflügen auf der Insel

---

[1] In einem Briefe an Scoresby (s. Scoresby, Tagebuch einer
Reise auf dem Walfischfang, deutsch von Kries p. 325 Anm.) will
Giesecke bis 75° 10' gekommen sein. Dies scheint etwas zu hoch
gegriffen zu sein. Berücksichtigt man die Zeit, welche Giesecke zu
dem Ausflug nördlich Tasiusak brauchte, so muß man annehmen,
daß er wohl nicht über 74½° hinauskam.

Disko und an der grönländischen Küste des Waigat ver-
blieb Giesecke im Winter 1807—08 in Godhavn; 1808
unterfuchte er den Teil füdlich von Godhavn bis Godthaab und befonders eingehend die Umgebung diefer Kolonie, das fog. Balls-Revier. 1809 kam er noch einmal
nach Südgrönland; im Arfukfjord entdeckte er das Kryolithlager bei Jvigtut. Das Jahr 1810 widmete Giesecke
wieder der Unterfuchung von Godthaabs Umgegend; 1811
finden wir ihn in der Gegend von Umanak mit ihren
Sandftein- und Braunkohlenlagern, welche Pflanzenverftei-
nerungen führen. Auch 1812 und 1813 hielt fich Giesecke
im Umanakdiftrikt und in der Gegend von Disko auf, wo
er mineralogifche Ausflüge unternahm.

Seine Aufgabe hat Giesecke glücklich gelöft; fein Tage-
buch wird ftets ein hervorragendes Quellenwerk bleiben.
Giesecke ift der erfte, der den mineralogifch-petrographifchen
Aufbau Grönlands beftimmte:[1]) Die verbreitetfte Gefteins-
art ift Granit. Stark vertreten ift auch Gneis. Granit
bildet wilde, zackige Bergfpitzen, während Gneis flachere
Gipfel fchafft. Die Kryolithlager find in Gneis gebettet.
Mit Gneis ift faft immer Glimmerfchiefer verbunden, der
meift fehr viel Glimmer enthält. Porphyr breitet fich vor
Kap Farewell bis ca. 64⁰ aus. Syenit ift faft auf der
ganzen Küfte dem Granit beigefellt. Grünftein (Diabas)
bildet befonders die Infeln zwifchen 62⁰ und 63⁰; er geht
vielfach in porphyrartigen Grünftein oder in Grünftein-
fchiefer über. Weißftein (Granulit) kommt in Lagern von
geringer Ausdehnung vor; Tonfchiefer findet fich nur
felten im Arfuk- und Ameralikfjord, fowie füdöftlich der
Diskobucht. Selten trifft man alte Kalkfteinlager in Gneis
und Glimmerfchiefer; Kalke jüngeren Alters fehlen ganz.
Unter „Flöz-Trap-Formation", die fich nördlich 69⁰ 14'
erftreckt, verfteht Giesecke eine Wechfellagerung von Bafalt-
tuff und Säulenbafalt — Bafalt findet fich auch fonft in
Grönland häufig — mit kretazeifchen und tertiären Sedi-
mentärgefteinen, befonders Tonfchiefer und Sandftein,
zwifchen welchen Braunkohlenlager vorkommen. Auf die

---

1) Vgl. Gieseckes „Greenland" in Brewsters „The Edinburgh
Encyclopaedia" 1816, 2, 481—502; daraus hat Johnstrup l. c. p.
38 „The Mineralogical Geology of Greenland by Giesecke" ge-
³ mmen.

Versteinerungen innerhalb dieses Gebietes macht schon Giesecke aufmerksam.[1]). Alluviale Bildungen finden sich ziemlich in jeder Bai und in jedem Fjord: sandiger Ton und
Steinfragmente der naheliegenden Berge.[2]).

In den Jahren 1812—14 vollführe Wormskiold eine
„botanische" Reise in Grönland. Nach seiner Rückkehr erschien aber kein darauf bezüglicher Bericht, sondern eine
Abhandlung[3]), worin er als scharfsinniger Gegner den
Eggers' auftritt. Er meint, die Ostseite Grönlands sei
noch zu wenig bekannt — hierin hatte er recht —, als
daß man endgültig über die Lage der Oesterbygd entschei-
den könne. Er hält vorerst die alte Ansicht von der Lage
der Oesterbygd auf der Ostseite für die einleuchtendere.
Erst die Zukunft könne lehren, wer recht habe.

2. John Roß.

Im Anfange des 19. Jahrhunderts wurde in England abermals die Frage der nordwestlichen Durchfahrt er-
örtert. Wie früher, so sollte auch jetzt diese Frage für
die Erschließung Grönlands fruchtbringend werden.

Walfänger waren an der Westküste Grönlands schon
fast bis 76° n. Br. gekommen. So hatte das Fangschiff
„Thomas" am 17. Juli 1817 eine Breite von 75° 17' gemessen;[4]) auch will Muirhead, der Führer des Schiffes
„Larkins", bis 75° 15' gekommen sein[5]).

1818 sollten John Roß[6]) und Parry mit den Schiffen

1) Vgl. Flora fossilis arctica, O. Heer, 1868; Nathorst in
Nordenskiölds Grönland (1886) p. 250–264 und p. 313–318;
Meddelelser om Grönland V.: Forsteningerne i Kridt-og Miocen-
formationen i Nord-Grönland ved Steenstrup, O. Heer og de
Loriol 1883, 2. Aufl. 1893.
2) Ueber die mineralogisch-petrographischen Untersuchungen
Grönlands f. Meddelelser om Grönland I, II, IV, VII, VIII, IX,
X, XIV, XV, XVII–XIX, XXIV.
3) Wormskiold, Gammelt og Nyt om Grönlands, Vinlands
og nogle flere af Forfaedrene kjendte Landes tormentlige Beliggenhed. Skand. Lit. Selsk. Skritter 1814, 10. Jahrg. p. 298–403
4) Tagebuch Braß' f. O' Reilly, Greenland, the adjacent Seas
and the North-West-Passage to the Pacific Ocean in a voyage
to Davis's Strait, during the summer 1817, London 1818 p. 95.
5) Roß, Entdeckungsreise, Jena 1819, p. 39.
6) John Roß: A Voyage of Discovery made under the or-
dres of the Admirality, in H. M. S, Jsabella and Alexander, for
the purpose of exploring Baffin's Bay, and inquiring into the
probability of a North-West-Passage. 7 Tafeln, 1 Karte, London

„Isabella" und „Alexander" die Möglichkeit einer Nordwestdurchfahrt in der Baffinbai untersuchen. An der Westküste Grönlands nordwärts segelnd, hatte man von 74°
n. Br. an beständig mit dem Eis zu kämpfen. Am 22.
Juni war der nördlichste vorher bekannte Punkt, Readhead,
in 75° 12' erreicht. Die Bai im Nordosten der Baffinbai
nannte John Roß zu Ehren des ersten Lords der englischen Admiralität Melville-Bai. Etwas von der Küste
entfernt, entdeckte man die Browns- und Sabine-Inseln.
Von hier nahm Roß einen nordwestlichen Kurs. Im Norden der Melville-Bai bildeten hohe Gebirge von Land und
Eis einen undurchdringlichen Damm. Am 30. Juli, einem
klaren Tage, konnten die Teilnehmer der Expedition, welche
die Schiffe beständig an Tauen durch die vom Eise frei-
gelassenen Kanäle ziehen mußten, das Land von Nordwest
gegen West bis Südosten sehen. Man fing am gleichen
Tage einen Wal, deren es hier eine Menge gab, um an
seinem Speck Brennmaterial zu haben, falls eine Ueberwinterung im Eise notwendig sein sollte. Am 1. August
umfuhr Roß das Kap Melville (75° 58' 56" n. Br. und
60° 37' 21" w. L.). Bald darnach schwebten die Schiffe
in großer Gefahr, da das Eis von allen Seiten anrückte;
glücklicherweise nahmen sie nur geringen Schaden. Bei den
Bushnan-Inseln (75° 54' n. Br. und 65° 32' w. L.)
traf Roß mit Eskimos zusammen, die noch nie mit Europäern in Berührung gekommen waren, und die deshalb
die Schiffe für überirdische Wesen hielten[1]. Durch Sa-
cheuse, einen Eskimo, der als Dolmetscher die Reise mit-
machte, erfuhr man, daß die Eingeborenen von einem
Eisenblock erzählten, von dem sie mit scharfen Steinen
kleine Eisenstücke abschnitten, um sie als Messerklingen zu
verwenden. Die Bucht, wo Roß mit den Eingeborenen
zusammengekommen war, nannte er Prinz Regent-Bai und
das Land „die nördlichen Hochlande" (Arctic Highlands).
Als Roß an Kap York vorbeigesegelt war, sah er roten
Schnee[2]; wegen der Farbe nannte er die Küste Crimson

1819. Deutsch von Remnich, Leipzig 1820; dasselbe als Abdruck
aus dem ethnographischen Archiv, Jena 1819.
1) Die Beschreibung der Begegnung mit den Eingeborenen
hat Nothorst in Nordenskiölds Grönland p. 281—86 übergenommen.
2) Die rote Färbung des Schnees rührt von gefärbten Algen
her; vgl. Wittrocks Schnee- und Eisflora in Nordenskiölds Studien
und Forschungen.

Klippen. Auf seiner weiteren Fahrt fand er die Küste Grönlands so, wie Baffin sie beschrieben hatte. In eisfreiem Wasser kam Roß an der Insel Wolstenholme und dem Wolstenholmesund vorbei. Eine Bucht nördlich des Wolstenholmesundes erhielt den Namen Booth-Sund. In den Walsund konnte man wegen des Eises nicht einfahren. An den Carry-Inseln vorbeisteuernd, sah man am 18. August die Hacluit-Insel. Am folgenden Tage wurde die höchste Breite, 76° 54', gemessen. Den Schmith-Sund hielt Roß für eine geschlossene Bucht. Aehnliche falsche Schlüsse zog Roß später auch im Jones- und Lancastersund.

Roß glaubte durch seine Reise die Unmöglichkeit einer nordwestlichen Durchfahrt nachgewiesen zu haben. Wenn er sich auch hierin irrte, so hatte er jedenfalls recht mit der Behauptung, daß eine Durchfahrt praktisch nutzlos sei. Roß' Expedition ist wichtig wegen der diesen Lotungen und Dreggungen, die in der Baffinbai vorgenommen wurden. Roß hat das Land an der Melvillebai entdeckt und im äußersten Norden auf seiner Fahrt den vielfach angezweifelten Bericht seines Vorgängers Baffin als völlig glaubwürdig gefunden.

Erst in den fünfziger und sechziger Jahren des 19. Jahrhunderts erschlossen sich nördlichere als die von Baffin und Roß besuchten Gegenden Westgrönlands. In neuester Zeit ist Nordwestgrönland als Stützpunkt beim Angriff auf den Nordpol wichtig geworden.

---

3) Scoresby und Clavering.

Bald sollte auch die Erforschung eines großen Teiles der Nordostküste Grönlands folgen, von der man durch Hudson und die niederländischen Karten einzelne Punkte kannte. Bedeutendes leisteten hier Scoresby und Clavering.

Scoresby[1]) erblickte am 8. Juni 1822 Land in 74° an der Ostküste Grönlands; er glaubte, Hudsons Hold-with-

---

1) Journal of a voyage to the Northern Whale-Fischery; including Researches and Discoveries on the eastern coast of Westergreenland (NB. Ostgrönland-Spitzbergen), made in the Summer of 1822, in the ship Batfin of Liverpool. By William Scoresby Junior Commander. Edingburgh 1823; deutsch von Kries, Hamburg 1825.

Hope im Süden und Gale Hamkes Bai im Norden zu sehen. Wegen des Eises konnte er hier nicht ans Land kommen. Vom Schiffe aus nahm er die Küste von 74½° bis 75° auf. Am 18. Juni wurden von ungefähr 73° aus die vorspringenden Teile der Küste zwischen 72° 46' und 73½° aufgenommen. Da ein neuer Versuch zu landen mißglückte, steuerte Scoresby am 19. Juli südwärts der Küste entlang. Von ca. 71° aus benannte und kartierte er die hervorragenden Punkte an der „Liverpool-Küste". Nach stürmischem und nebligem Wetter wurde am 23. Juli in 70° 36' die Aufnahme fortgesetzt. Am 24. Juli konnte Scoresby sogar am Kap Lister, nördlich der Mündung des später so genannten Scoresbysundes, ans Land steigen (70° 31'). Auf dem Lande traf er Spuren menschlicher Wohnstätten: Feuerstätten mit verkohltem Treibholz und halb verbranntem Moos. Der Platz konnte erst vor kurzem von Menschen verlassen worden sein. Als Scoresby zum Schiff zurückkehrte, beobachtete er eine merkwürdige Erscheinung. Infolge der an Grönlands Küsten sehr häufigen starken Strahlenbrechung sah er das verkehrte Bild eines Schiffes. Mit Hilfe seines Fernrohrs erkannte er deutlich das Schiff seines Vaters, das sich in dem benachbarten großen Sunde (Scoresbysund) befand; mit seinem Vater traf er denn auch am 25. Juli zusammen, als er in den Sund eindrang. Bei Kap Hope und Kap Steward stieg Scoresby wieder ans Land, um Aufnahmen zu machen; auch hier fand er Gegenstände, die auf einen menschlichen Aufenthalt deuteten. Von seinem Vater erfuhr er, daß man 30—40 Meilen nordwestlich und westlich von Jamesland kein Ende der Bucht gefunden habe. Am 27. Juli verließ Scoresby diesen Sund und nannte ihn zu Ehren seines Vaters Scoresby-Sund, da er glaube, daß dieser der erste Entdecker des Sundes sei[1]). Dann brachte er noch die Küstenstrecke südlich des Scoresby-Sundes bis 69° 12' (Kap Barclay) auf die Karte. Am 10. August

---

1) Dieser Sund soll allerdings schon vor Scoresby besucht worden sein. Nach einer handschriftlichen, bei einem Brande vernichteten Karte, die sich in Wormskiolds Besitz befand, soll schon 1761 Volkert Bohn diesen Sund entdeckt haben. Vgl. Wormskiold, Gammelt og Nyt om Grönlands etc Beliggenhed, Skand. Lit. Selsk. Skrifter 10, 1814 p. 383.

zeichnete er die Umrisse der Küste zwischen 72⁰ und
72½⁰. Hier landete Scoresby noch einmal. Zur Untersuchung der Mountnorris-Bucht und des Davy's-Sundes
wurden Boote abgeschickt. An der Küste fanden sich Ueber-
reste von Sommerwohnungen der Eingeborenen. Später
wurden noch einige Strecken der Küste in der Karte nach-
getragen: am 14. August zwischen 71⁰ 11' und 72⁰, am
20. August in 71⁰ 50' 28" und am 26. August in 71⁰
24' 40".

Wenn auch schon Hudson 1607 den Teil zwischen 72⁰
und 73½⁰ entdeckt hat; wenn auch Walfänger schon vor
Scoresby manche Punkte dieser Küste gesehen haben; wenn
auch Volkert Bohn der eigentliche Entdecker des Scoresby-
Sundes war: das Verdienst Scoresbys bleibt immer noch
groß und hervorragend; er hat zum erstenmal die Küste
bereisen und das Land untersucht; er hat die erste Karte
für die Ausdehnung von 69⁰ 12' bis 75⁰ geliefert, die
im großen ganzen richtig war und von seinen Nach-
folgern nur ergänzt und weiter ausgeführt zu werden
brauchte.

Im Jahre 1823 trat Clavering[1]) in Scoresbys Fuß-
stapfen. Der nördlichste Teil der Karte Scoresbys war
lückenhaft und zum Teil ungenau, da hier die Aufnahme
vom Schiff aus in großer Entfernung stattfinden mußte.
Hier setzte die englische von Clavering geführte Expedition
im „Griper" 1824 die Arbeit Scoresbys fort. Der Zweck
der Expedition war folgender: Der als Begleiter des John
Roß bekannte Engländer Sabine sollte zum Zweck wissen-
schaftlicher Untersuchungen von Clavering an verschiedene
Stationen des nördlichen Eismeeres gebracht werden. Sabine wurde nach einer Fahrt bis zur Shannon-Insel in
75⁰ 12', wo die Küste bis 76⁰ kartiert wurde, auf der
inneren Pendulum-Insel (auch Sabine-Insel genannt) ans
Land gesetzt. Sabines Observatorium befand sich 74⁰ 32
19" n. Br. und 18⁰ 50' w. L. Während hier Sabine seinen Beobachtungen oblag, untersuchte Clavering die Bai

---

1) Clavering, Journal of a Voyage to Spitzbergen and the
East Coast of Greenland, in His Majesty's ship Griper. By Dou-
glas Charles Clavering. Communicated by James Smith. With
a Chart of the discoveries of Captains Clavering and Scoresby,
in The Edinburgh new philosophical journal, Juli bis Oktober 1830
p. 16—28.

Gael Hamkes, die er wohl richtiger als Scoresby, der sie in 75° n. Br. suchte, nach einer niederländischen Karte auf den 74. Grad n. Br. verlegte. Dieser Ausflug Claberings dauerte vom 12. bis 29. August 1823. Es glückte Clavering, mit Eingeborenen, die sich nicht sonderlich von den Bewohnern der Westküste unterschieden, auf der später nach ihm benannten, etwas nördlich 74° gelegenen Clabering-Insel zusammenzukommen. Als Sabine [1] mit seinen Untersuchungen zu Ende und samt seinen Instrumenten an Bord genommen war, segelte der „Griper" längs der Küste südwärts bis ca. 72½° (Kap Parry), indem man die Karte Scoresbys teils ergänzte, teils berichtigte.

Im nämlichen Jahre (1823) entdeckte Duncan [2], der Führer eines Walfangschiffes, in 68° 41' n. Br. und 24° 30' w. L. Land und einige unbekannte Inseln. Es war dies die Ostküste Grönlands etwas südlich von Kap Barclay, dem südlichsten Punkte Scoresbys.

Die Erforschung der Nordostküste Grönlands war damit zu einem vorläufigen Abschluß gekommen. Erst 1869 bis 1870 sollte die zweite deutsche Nordpolarfahrt unter Kolbewoh [3] und später die dänische ostgrönländische Expedition 1891—92 unter Ryder (Medd. 17—19) die geographische Kenntnis dieser Küste bedeutend erweitern.

4) Graḩ.

Die Hoffnung, auf der Südostküste Grönlands das alte Oesterbügd zu finden, war durch Wormskiolds Schrift 1814 zu neuem Leben erwacht und drängte in Dänemark, das sich für die „Normannenkolonie" am lebhaftesten interessieren mußte, zu einer neuen Expedition an die Südostküste Grönlands. Schon zweimal hatte man Kommis-

---

1) Vgl. Sabine, An account of Experiments to determine the Figur of the Earth by means of the Pendulum vibrating seconds in different Latitudes p. 416 ff.

2) Prétendues découvertes dans les mers du Groenland in Nouvelles annales des voyages, de la géographie et de l' histoire par Eyriès et Malte-Brun. Tom. XXI, Paris 1824, p. 284—285.

3) Zweite deutsche Nordpolarfahrt in den Jahren 1869 und 1870 unter Führung des Kapitän Karl Kolbewen; herausgegeben von dem Verein für die deutsche Nordpolarfahrt in Bremen. 2 Bände. Leipzig 1874.

stonen eingesetzt, die das alte Projekt wieder aufnehmen sollten, und deren Mitglieder Männer wie Löwenörn, Giesecke, Oersted, Wormskiold waren. Allein da diese sich über die Ausführung nicht einigen konnten, war man über die Beratungen nicht hinausgekommen. Als aber die Entdettungen Scoresbys bekannt wurden [1]), welcher der Ansicht war, daß er bei genügender Zeit die ganze Ostküste bis zum Kap Farewell hätte untersuchen können, glaubte man in Dänemark die herrschenden günstigen Eisverhältnisse ausnützen zu müssen.

Kapitänleutnant Graah wurde mit der Führung der Expedition betraut. Dieser hatte schon 1823—24 die Westküste von 68½ bis 73° n. Br. aufgenommen [2]) und der Erfolg rechtfertigte das in ihn gesetzte Vertrauen. Nach der Instruktion, die Graah [3]) von der aus Moltke, Hornemann, Gede und Zahrtmann bestehenden Kommission erhielt, sollte er mit dem Naturforscher Vahl, mit dem Vorsteher der Kolonie Frederikshaab Mathiesen als Dolmetscher und mit den zum Transport zweier Kajaks und zweier Umiaks (Weiberboote) notwendigen Grönländern und Grönländerinnen vom Kap Farewell bis 69° vordringen. Das Jahr 1828 solle zur Aufnahme der Küste im Distrikte Jullianehaabs an der Südwestküste verwendet, die Reise zur Ostküste im Frühjahr 1829 angetreten werden. Falls das Ziel, Kap Barclay (69° 12'), nicht erreicht werde, sei die Rückreise erst 1830 anzutreten. Besonderes Augenmerk müsse man auf Spuren einer früheren Besiedelung richten; falls Graah Fjorde und eine andere Menschenrasse als die der Westküste finde, solle er sofort zurückkehren.

1) Pingel! (G h M III 776) und Maurer glauben, daß die dänische Regierung einer englischen Besitzergreifung Ostgrönlands habe zuvorkommen wollen. Und es ist Tatsache, daß Graah die Ostküste Grönlands förmlich für Dänemark in Besitz nahm. Es scheint jedoch, als ob es den Engländern gar nicht darum zu tun gewesen sei; denn es hätten Clavering und Sabine das Versäumnis Scoresbys nachholen können.

2) Graah, Beskrivelse til det voxende Situationskaart over den vestlige Kyst af Grönland fra 68° 30' til 73° n. Br. Med 8 Havnekaart og 2 Bl. Landtoninger. Udgivet fra det kgl. Söekaart-Arkiv, Kjöbenhavn 1825.

3) Graah, Undersögelses Reise til Oestkysten af Grönland Efter kgl. Befaling udfört i Aarene 1828–31. Kjöbenhavn 1832 Deutsch in Journ. Neu. Land- und Seereisen 74 und 75.

Am 31. Mai 1828 verließ Graah mit Vahl und Dr.
Pingel, der nicht an der Expedition teilnahm, sondern
Grönlands geologischen Aufbau untersuchen wollte, Däne-
mark. Das Jahr 1828 verbrachte Graah mit Reisen in der
Nähe der Kolonie Julianehaab. Hier wurde auch der
Ostländer Ernenek für die Teilnahme an der Reise ge-
wonnen.

Am 21. März 1829 trat die Expedition die Reise zur
Ostküste an. In Friedrichsthal kam Graah noch einmal
mit Europäern, den Brüder-Missionären, zusammen. Durch
den Prinz-Christian-Sund gelangte er zur Ostküste, die er
am 1. April erreichte. Auf der Insel Killertal an der östlichen Mündung des Prinz-Christian-Sundes mußte die
Reisegesellschaft volle 25 Tage in Untätigkeit liegen bleiben, von Eis eingeschlossen. Am 26. April konnte Graah
zur Insel Alluk (60° 9') gelangen. Bald hatte man, nachdem Kap Hvidtfeld passiert war, den Lindenobfjord erreicht. An dessen Mündung, auf der Halbinsel Nennetsuk
(60° 28'), gegenüber der Insel Sagblia, wo Wallöe seinen nördlichsten Zeltplatz hatte, war Graah drei Wochen
festgehalten, bis sich der Weg wieder öffnete. An Kap
Wallöe und der Insel Kutek vorbeirudernd, erreichte Graah
die Insel Ilutlek, deren östliche Spitze, Kap Discord, in
60° 52' liegt. Bei Serketnua hemmte das Eis wieder 17
Tage die Weiterfahrt. Vom 14. bis 20 Juni arbeitete
sich die Expedition der Küste entlang nordwärts, vorbei an
den Buchten Kangerbluluk-, Igilek-, Anaret- und Ano-
ritokfjord und an den Vorgebirgen Ruk, Fischer, Trolle,
Tordenskiold und Rantzau, bis in die Nähe des großen
Eisblinks Puisortok, wo in 61° 42' die Zelte aufgeschla-
gen wurden. Da sich hier der größte Teil der Grönländer
weigerte, weiter zu folgen, beschloß Graah, das eine Weiberboot mit Vahl, Mathiesen und den unzufriedenen Grönländern zurückzuschicken und allein mit Ernenek, dessen Familie und noch drei Grönländerinnen, die freiwillig blieben, die Reise fortzusetzen.

Am 23. Juni hatte Graah gehofft, den Eisblink pas-
sieren zu können, allein das Eis zwang ihn, in der Bucht
Sermipnua (61° 54' 50"), südlich des Puisortok, noch
einmal zu landen. Erst am 27. Juni gelang es, an dem
mächtigen Eisblink vorbeizurudern. Mehr als zwanzigmal
kalbte der mächtige ins Meer mündende Gletscher. Jenseit

desselben landete Graah auf der Rudsinsel, deren Südspitze in 62° 7' liegt. Nicht ohne große Anstrengungen
kam er am 29. Juni zur Insel Malungiset (62° 20'). Bei
der Insel Uoblotsititt (62° 29' 50") sah man infolge der
starken Strahlenbrechung in der Luft den nördlichen Hori-
zont bedeutend gehoben und die Küste verzerrt. Auf Gris-
senfeldts-Insel (62° 55'), wo man am Abend des 2. Juli
Halt machte, unternahm Graah einen Ausflug ins Innere
der Insel, da das Eis vorerst nicht erlaubte, weiterzukommen. Von den dort ansässigen Eingeborenen erfuhr Graah,
daß nirgends sich alte Ruinen fänden, daß auch kein Sage
von anderen Bewohnern des Landes in früheren Zeiten
erzähle. Weideplätze gebe es nur bei Ekalumiut (63½°).
Am 8. Juli landete die Expedition an der Süd'pitze der
Insel Skjoldungen (Kap Juel 63° 12'), die gegenüber
Ekalumiut liegt. Die Reise ging jetzt ohne große Hinder-
nisse von statten. Am 10. Juli gab Graah dem Kap
Molite (63° 30') den Namen. Auf den Inseln Nekertar-
suak und Kemisak waren viele Ostgrönländer versammelt.
Auch auf Kemisak (63° 36' 50") konnte man nichts von
Ruinen und warmen Quellen erfahren; Weichstein gab
es nur auf der Insel Umanarsuk; Runensteine wie auf der
Westseite kannte man hier nicht. Die Eingeborenen hielten
es für unmöglich, daß ein Schiff an der von Eis um-
gebenen Ostküste lande.

Auf Kemisak wollten die Weiber Ernenes nicht mehr
weiter folgen, da eine öde Küststrecke zu erwarten war.
Auch Ernenek fürchtete, weiter nördlich den Unterhalt für
seine Familie nicht mehr aufbringen zu können. Da ge-
wann Graah drei 12- bis 15jährige Mädchen, die sich be-
reit erklärten, mit ihm weiterzureisen. Am 14. Juli setzte
er mit seinen neuen Begleiterinnen den Weg fort. Er kam
jetzt an der Gegend vorbei, wo Danell auf seinen Reisen
das Herjolfsnaes der Alten gesehen haben will [1]). Nach
34-stündigem, ununterbrochenem Rudern hatte man, stän-
dig mit dem Eis kämpfend, den breiten Eisblink der Col-
berger Heide passiert und die Insel Aluit (64° 18' 50")
erreicht. Als Graah die Gabels-Insel und Kap Löwenörn

---

[1]) Holm (Meddl. IX. p. 198—199) hält Pingasukajit (63° 58')
für das von Danell gesehene und Herjolfsnaes genannte Vorgebirge.

hin'er sich hatte und auf den S rains Inse'n (61° 47')
landete, in deren Nähe die Küste nach Nordosten abbiegt,
hoffte er nicht mehr, die Oesterbyd der Alten zu finden.
Dan westlich der Oerstebs-Insel (65° 5') auf dem Festlande
gelegenen Berg hielt Graah irrtümlich für Danells Capo
de Konz Frederik 3.[1]) Nach'em Graah in der Horn:mann-
und Dahl-Insel se'ne Zeitgenossen verew'gt hatte, kam er
am 24. Juli zur Insel Lendom („Wende um!") in 65°
12', se'nem nördlichsten Zeltpla e. Er untersuchte die Umgegend der Insel Dendom, da es unmöglich war, w iter
vorwärts zu kommen Am 18. August errichte'e er auf
der nördlich Denhom gelegenen Insel, die den Namen
„Danebrogsinsel" erhielt, in 65° 15' 36" eine Steinwarte.
Indem er hier die dänische Flagge (Danebrog) aufpflanzte,
nahm er feier'ch das Land für Dänemark in Besiz und
nannte es „Küste König Friedrichs des Siebenten."

Da die schlechte Jahreszeit mit ihren Stürmen nahte
und an ein Auffinden der Oesterbyd auf der Ostküste
Grönlands nicht mehr zu denken war, re ste Graah wieder
südwärts, um an einem günst'geren Pla e zu überwintern.
In Ekalumiut, wo Graah am 30. August eintraf war er
Zeuge des grönländischen Trommel'anzs Eine besonders
schöne Gegend im Innern von Ekalumiut nannte er „Dro-
n'ng Marias Dal". Auf einer Insel in der Nähe, Nukor-
fik, überwinterte er. Unter vielen Entbehrungen verging
der siebenmonatlange Winter. Graah war fast andauernd
krank.

Nach einem vergeblichen Versuch, im Frühjahr 1820
weiter als im Vorjahre nach Norden vorzudringen, trat
Graah die Rückreise zur West üste an. Unter steten Kämpfen mit Eis und Unwelt r, wozu sich jetzt noch Hunger
und Krankheit gesellten, legte Graah den weiten Weg zurück. Am 16. Oktober erreichte er Friedrichsthal. In
Julianehaab blieb er den Win er 1830—31. Im Jahre
1831 nahm er den Julian:haab- und Frede:l:shaabdistrikt
vollends auf und verließ am 11 August 1831 Grönland.

Graahs Name ist durch seine Grönlandreise unsterblich
geworden Ihm verdanken wir die erste gute Karte Grönlands. Er hat die Südostküste untersucht auf weite Streck

---

1) Dieses Kap ist wohl in der Nähe von Angmagsalik zu
suchen; (vgl. Medd. IX. 208 und 211)

ten, die vor ihm kein europäischer Fuß betreten. Er hat durch Erschließung der Südostküste die Frage über die Lage der Oesterbygd ihrer Lösung wesentlich näher gebracht. Später hat man allerdings mit einem gewissen Recht hervorgehoben, daß Graah nur einzelne Punkte der Ostküste genauer untersucht habe, daß ihm also manches habe entgehen können. Voreist jedoch war, da Graah wider Vermuten weder die Oesterbygd noch normanische Rutnen angetroffen hatte, die nächste Folge, daß die Meinungen wieder zu Gunsten der Ansicht v. Eggers' umschlugen. Eine zweite Folge war, daß auf lange Zeit die ostgrönländischen Expeditionen unterbleiben, und daß sich die Dänen hauptsächlich mit der Durchforschung der Westküste Grönlands befaßten.[1]

Nordenskiöld wies darauf hin, daß durch Graahs Reise die Frage „Oesterbygd" noch nicht als endgültig entschieden angesehen werden könne.[2] Er trat als letzter Verfechter der Ansicht Wormskiolds auf. Erst durch die dänische Ostgrönland-Expedition der Jahre 1883—85, die trotz eingehender Untersuchung der Südostküste von der Südspitze bis 66½° keine Spur einer normannischen Besiedelung (den äußersten Süden ausgenommen) fand, ist die Frage endgültig zu Gunsten v. Eggers' richtiggestellt.

---

1) Vgl. Pingels Arbeiten in Nordisk Tidskrift for Oldkyndighed I. 94—108, II. 313—343, III. 211—224; Annaler for Nordisk Oldkyndighed 1836/37 p. 122—141, 1838/39 p. 217—253; 1842/43 p. 326—347.

2) Nordenskiölds Ansicht ist in dem Satze niedergelegt (Grönland p. 6): „Bevor der südliche Teil der Ostküste Grönlands nicht vollständig untersucht ist, kann man nicht anders, als die in Bezug auf die Lage der ehemaligen norwegischen Kolonien gegenwärtig in der Wissenschaft geltende höchst gezwungene Erklärung bezweifeln".

Schluß.

Auf die Kraftleistung der zwanziger Jahre des 19. Jahrhunderts folgte eine Zeit der Abspannung, der Ruhe. Bedeutendes war geleistet worden. Völlig unbekannt war Grönlands Küste im Westen nördlich von 78° und im Osten nördlich von 76° n. Br.; außerdem war auf der Ostküste das Gebiet zwischen 65½° und 69¼° noch nicht von Europäern betreten worden.

Bis in die fünfziger Jahre des 19. Jahrhunderts hört man nichts von neuen Entdeckungen oder größeren Unternehmungen[1]. Was seit dieser Zeit geleistet wurde, wird füglich der Gegenwart zugerechnet und darf in der gegenwärtigen Arbeit unberücksichtigt bleiben.[2].

Es liegt mir noch die angenehme Pflicht ob, meines verehrten Lehrers, Herrn Prof. Dr. S. Günther, der die Anregung zu der vorliegenden Arbeit gab und auf die Literatur hinwies, dankbar zu gedenken.

Die benützte Literatur ist in den Fußnoten angegeben, auf die Quellen ist zurückgegangen, soweit sie mir von der K. Hof- und Staatsbibliothek München zur Verfügung gestellt werden konnten; im übrigen mußte ich mich auf die Auszüge in G h M 3 625 f. beschränken.

---

1) Blossevilles Expedition, dessen Fahrzeug „LaLilloise" 1833 an der Ostküste Grönlands mit der Besatzung in die Tiefe sank, hat für die Erschließung Grönlands nur wenig Bedeutung.

2) Vgl. Günther, Entdeckungsgeschichte und Fortschritte der wissenschaftlichen Geographie im 19. Jhdt. 1902 p. 141—152.